eseuri & confesiuni

Jack Kerouac, *Wake Up: A Life of the Buddha*

Pe copertă: © Arztsamui/Depositphotos.com

www.polirom.ro

Editura POLIROM
Iași, B-dul Carol I nr. 4; P.O. BOX 266, 700506
București, Splaiul Unirii nr. 6, bl. B3A, sc. 1, et. 1,
sector 4, 040031, O.P. 53, C.P. 15-728

Descrierea CIP a Bibliotecii Naționale a României:

KEROUAC, JACK
    Cartea trezirii: viața lui Buddha / Jack Kerouac; trad.
de Ciprian Șiulea; introd. de A.F. Thurman. – Iași: Polirom,
2014

    ISBN print: 978-973-46-4189-5
    ISBN ePub: 978-973-46-4678-4
    ISBN PDF: 978-973-46-4679-1

I. Șiulea, Ciprian (trad.)
II. Thurman, Robert A.F. (introd.)

294.31:291.61 Buddha
929 Buddha

Printed in ROMANIA

Cartea trezirii
Viaţa lui Buddha

Pregătită de
Jack Kerouac

Introducere de Robert A.F. Thurman

Traducere de Ciprian Șiulea

POLIROM
2014

JACK KEROUAC (Jean Louis Kerouac, 1922-1969) s-a născut în Lowell, Massachusetts, într-o familie canadiano-franceză. La terminarea liceului obține o bursă la Columbia University și pleacă la New York împreună cu toată familia, dar în scurtă vreme își întrerupe studiile și se înrolează în Marina Militară. În timpul celui de-al Doilea Război Mondial viitorul scriitor este lăsat la vatră, considerîndu-se că ar avea un comportament schizoid. Lucrează o perioadă în Marina Comercială, apoi pornește într-un șir de călătorii în Statele Unite și Mexic. Primul său roman, *The Town and the City*, apare în 1950, în timp ce romanul *On the Road* (*Pe drum*), incluzînd numeroase elemente autobiografice, considerat adesea marca „generației *beat*", a fost publicat abia în 1957 (Polirom, 2003, 2009, 2012). Printre cărțile publicate ulterior de Jack Kerouac se numără *The Dharma Bums* (*Vagabonzii Dharma*, 1958; Polirom, 2009), *Tristessa* (1960), *Big Sur* (1962), *Visions of Gerard* (1963). După moartea sa au mai fost publicate cîteva volume reprezentative, dar rămase în manuscris, printre care *And the Hippos Were Boiled in Their Tanks* (*Și hipopotamii au fiert în bazinul lor*), scris în 1945 împreună cu William S. Burroughs și apărut în 2008 (Polirom, 2009), și *The Sea Is My Brother* (*Oceanul e fratele meu*), scris în 1942 (Polirom, 2012).

Introducere

Ce surpriză! În timp ce lucram la această introducere, mi-am dat seama că Jack Kerouac era principalul bodhisattva, în anii '50, dintre toți predecesorii noștri americani. Pentru a-l prezenta pe Kerouac, care îl prezintă pe Shakyamuni Buddha, voi adopta o abordare personală, de vreme ce nu sînt un specialist în ceea ce privește beatnicii și literatura lor. Dar interpretarea dată de Kerouac cuvîntului *beat*, conform căreia acesta înseamnă „beatific" (acesta fiind modul în care eu prefer să traduc *sambhoga* din *sambhoga-kaya*, „trup beatific", al unui Buddha – forma lui extatică, celestă și universală), și nu „terminat"[1] – cei care nu pot suporta viața de sclav industrial, cu producția, băncile și războaiele ei –, asta m-a cîștigat imediat. Evident, m-a cîștigat atunci demult, numai că mi-am amintit abia acum.

Sînt recunoscător pentru șansa de a scrie această introducere. Au trecut aproape 50 de ani de cînd am citit *Vagabonzii Dharma*. Acum, cînd iubirea mea pentru Buddhadharma – „realitatea Celui Iluminat", „învățătura Trezitorului" (pentru a folosi expresiile deloc rele

---

1. *Beat up* în original (n. tr.).

ale lui Kerouac pentru „Buddha") – a devenit
cumva o mărturisire publică, sînt întrebat
uneori cum am ajuns să fiu interesat de ea.
Tind să menționez ce mi-am amintit pînă
acum, că terenul a fost însămînțat de lectu-
rile mele din *Așa grăit-a Zharathustra* a lui
Nietzsche, din Schopenhauer, Kant, Wittgenstein,
Henry Miller, Herman Hesse, Freud, Jung,
Wilhelm Reich, Lama Govinda, D.T. Suzuki,
Evans-Wentz și așa mai departe. Nu îmi venea
în minte și Kerouac. Dar acum îmi dau seama
că, atunci cînd am citit *Vagabonzii Dharma*,
în adolescență, la sfîrșitul anilor '50, am luat
contact cu poate cea mai exactă, mai poetică
și mai exuberantă evocare a esenței budis-
mului care era disponibilă la acel moment.
Nu că ar fi fost perfectă sau că eu aș fi în
stare să spun dacă era perfectă sau nu –
numai că e incredibil de însuflețitoare și pro-
babil că m-a afectat profund la 17 ani, în
1958, anul în care a fost publicată pentru
prima oară și anul în care am fugit de la
Phillips Exeter Academy, plecînd în căutarea
unei revoluții.

Începînd din 1958 sau poate din 1058,
tipul de budism indian, polivalent și luxuri-
ant pe care îl prefera Kerouac s-a reîntors
pe planetă din Tibet, după ce se pierduse în
afara Asiei Centrale timp de o mie de ani.
Vehiculul Universal Indian, budismul maha-
yana și instituțiile lui universitare monas-
tice – comunități dinamice de călugări conduse
de înțelepți, unii dintre ei exploratori price-
puți ai universurilor interioare, care au strîns
munți de texte în „Biblioteci din Alexandria"
enorme, cu mai multe etaje – au fost distruse

de invadarea și ocuparea de către persani și populațiile turcice islamizate a subcontinentului indian, iar Zeița Mamă a Civilizațiilor a fost eclipsată și mai mult de valurile de invazie, dominație și exploatare ale europenilor creștinați.

Nu cred că am citit vreodată *Pe drum* pînă acum, pentru acest proiect, și nu cred că mi-ar fi plăcut prea mult felul de a fi rătăcitor și șarlatan al lui Dean Moriarty, deși călătoriile mele cu autostopul între New York și California începînd din 1958 și continuînd cu intermitențe pînă în 1961 au fost oarecum similare. Însă eu nu am reușit niciodată să mă urc din mers într-un tren de marfă și îl admir pe Kerouac pentru cunoștințele și curajul lui de a face asta.

În legătură cu Kerouac pare să persiste o întrebare: dacă a înțeles sau nu cu adevărat ceva despre Dharma, ca și cum înțelegerea iluminării sau a vreunei alte entități similare nu ar fi fost autentică în cazul lui. Alan Watts ar fi spus că e posibil ca Kerouac să fi avut „ceva carne zen, dar nu și oase zen", referindu-se la titlul unei lucrări a altui autor care a scris despre zen, redutabilul Paul Reps. Și este posibil ca Gary Snyder, care a petrecut mulți ani în mănăstiri zen și este el însuși astăzi un fel de maestru zen roshi, precum și poet, să fi crezut că Kerouac nu înțelegea cu adevărat, chiar dacă a rămas bun prieten cu acesta. Nu există nici o îndoială că tragica lui dependență de alcool, care i-a întrerupt prematur viața și cariera la vîrsta de doar 47 de ani, este o dovadă că, oricare ar fi fost iluminarea la care a ajuns, ea nu atingea perfecțiunea condiției de Buddha, dat fiind că de obicei un Buddha nu bea pînă moare, de vreme ce astfel nu ajută pe nimeni, asta fiind cam tot ce face un Buddha în mod firesc. Dar cine poate revendica, într-adevăr, acest tip de transfigurare cosmică transcendentă, fizică și mentală? În vasta literatură psihologică a budiștilor, există multe analize ale diverselor etape ale iluminării; potrivit acestora, este foarte posibil să fii iluminat într-o anumită măsură și să continui să cazi pradă neajunsurilor umane. De fapt, devii *bodhisattva* sau erou al iluminării doar prin hotărîrea și legămîntul sincer de a deveni perfect iluminat într-o viață viitoare, mai apropiată sau mai îndepărtată, pentru a-ți dezvolta cunoașterea și capacitatea de a elibera de suferință toate ființele sensibile. Cu alte cuvinte, nu toți bodhisattva sînt entități celeste sau divine. Mulți sînt umani, prea umani.

Ceea ce l-a făcut poate pe Kerouac mai puțin acceptat în rîndul primilor budiști californieni – Gary Snyder, Alan Watts și alții – a fost că el nu era atît de cucerit de orientarea ch'an/zen, deși îi plăceau foarte mult scrierile lui Han Shan, meditațiile poetice ale „muntelui rece" transmise de Snyder. Kerouac era mai impresionat de linia indiană mahayana, ce apare atît în lucrarea de față, în povestea caldă a „lacului de lumină" despre viața lui Buddha, cît și în notițele lui pentru *Some of the Dharma*, scrise în beneficiul dragului său prieten Allen Ginsberg, care ne oferă și ele o mărturie a studiului lui Jack.

În mod evident, lui Kerouac îi plăceau foarte mult lucrurile legate de compasiune, ceea ce tibetanii numesc „linia faptelor mărețe", care au început cu Maitreya și Asanga. Iubea cîinii și ei îl iubeau la rîndul lor. Tibetanii au o tradiție, generată poate de celebra poveste a lui Asanga, care îl întîlnește pe Maitreya sub forma unui cîine, conform căreia viitorul Buddha Maitreya se manifestă adesea luînd înfățișare de cîine, înainte de a se încarna ca Buddha în viitorul îndepărtat, pentru a-i încuraja pe cei deprimați și temători să se ridice deasupra temerilor lor și să-și dezvolte încrederea și afecțiunea pentru altă ființă conștientă.

Semnificativ este biletul pe care Kerouac i l-a dat lui Gary Snyder la plecarea acestuia în Japonia pentru mai mulți ani de practică Zen, așa cum a fost el consemnat în semificționala *Vagabonzii Dharma*; „DIAMANTUL MILEI SĂ FIE CU TINE"[1]. (Desigur, dat fiind că *Vagabonzii Dharma* e semificțională, nu ai cum să știi dacă într-adevăr i-a dat un astfel de bilet sau doar a vrut s-o facă; dar ideea e aceeași.) „Sutra Diamantului" este una dintre *Sutrele Prajnaparamita*, cele mai importante sutre ale Înțelepciunii Transcendente mahayana, iar mila și compasiunea erau fațetele înțelepciunii iluminării ce atingeau cel mai mult sufletul creștino-budist al lui Kerouac, care nu voia ca Gary, cu orientarea lui de samurai macho față de zen, să

---

1. Jack Kerouac, *Vagabonzii Dharma*, traducere din limba engleză de Dan Sociu, Polirom, Iași, 2009, p. 245 (n. red.).

le piardă din vedere. Îmi place foarte mult
ceea ce spune Kerouac ulterior în roman,
cînd își petrece o vară în cabana de supra-
veghere a incendiilor pe Desolation Peak, în
Munții Skagit din statul Washington: „De cîte
ori auzeam tunetul în munți, era ca fierul
dragostei mamei mele"[1]. El îl numea pe
Buddha „Isus al Asiei", chiar „mai încîntător
decît Isus", iar în *Cartea trezirii* se folosește
pe larg de antologia lui Dwight Goddard *Biblia
budistă* (fiind creștin, Goddard avea tendința
de a sublinia aspectele budismului care semă-
nau cu credința lui). La începutul *Cărții tre-
zirii*, Kerouac citează dedicația lui Goddard:
„Adorație pentru Isus Christos, Mesia al lumii
creștine; adorație pentru Gautama Sakyamuni,
Trupul-Aparență al lui Buddha. – O rugăciune
budistă la mănăstirea din Santa Barbara,
scrisă de Dwight Goddard". Aici, Kerouac
aprobă în mod deschis adorarea în aceeași
măsură a ambilor „salvatori".

Tradiția zen s-a dezvoltat în Japonia în
contextul în care violența de samurai a răz-
boinicilor acestei națiuni s-a îmblînzit de-a
lungul mai multor secole, iar astfel faptul că
Kerouac nu avea „oase zen" pare să fie o
referire tocmai la blîndețea lui, la exaltarea
bunătății și amabilității, la iubirea lui față
de cîini și a lor față de el. De asemenea, el
părea mai puțin neînfrînat din punct de
vedere sexual decît alți beatnici, puțin timid
și poate puțin mai atent față de prietenele
lui. Cu siguranță era foarte iubit, fiind un
sportiv legendar în tinerețe, un bărbat foarte

---

1. *Ibidem*, p. 275 (n. red.).

arătos și elegant și un scriitor celebru, ido-
latrizat pentru o vreme, în anii '50 și la înce-
putul anilor '60. Ar fi avut astăzi peste 80 de
ani și s-ar fi bucurat foarte mult de „răsări-
tul Dharmei" care are loc acum în America,
după cum mi-a promis profetic într-o dimi-
neață din 1964 vechiul meu prieten spiritual
mongol Geshe Wangyal, în timp ce terminam
de așezat marile roți de rugăciune din alamă
om mani padme hum în porticul clădirii Labsum
Shedrub Ling (mănăstirea budistă lamaistă)
din Freewood Acres, New Jersey.

Kerouac a primit o educație foarte cato-
lică. Familia lui era catolică și se pare că
privea cu suspiciune cochetarea lui cu Buddha
și budismul. Numeroșii critici ai lui Kerouac
par a insista asupra faptului că el a rămas
catolic și, cu siguranță, era foarte atașat de
Isus și Fecioara Maria. Nu există nici o îndo-
ială că îi iubea atît pe Isus, cît și pe Buddha.
Cei mai mulți specialiști susțin că Kerouac
era „de fapt" creștin din cap pînă-n picioare și
că budismul lui era un fel de interes secun-
dar. Fiind eu însumi un apostat protestant,
am observat că intelectualii noștri americani
încă nu se simt în largul lor cu budismul,
sînt nedumeriți de el și nici chiar artiștii
profund îndatorați budismului sau „Orien-
tului" nu prea vor să recunoască asta, cel
puțin nu pînă într-o fază tîrzie a carierei lor.

În acest context, ar trebui să ne gîndim
la motivul pentru care oamenii au tendința
să creadă că iubirea lui Kerouac față de Isus
și creștinismul spiritual (nu varianta lui
bisericească, atît de compromisă de dogmă)
implică faptul că el nu înțelegea și nu prețuia

budismul (dacă ar fi cunoscut mai bine diversele lui forme instituționale, cu siguranță ar fi insistat asupra unei forme nedominate de Biserică a budismului spiritual). Este oare necesar să reevaluăm relația dintre budism și creștinism?

Budiștilor mahayana le face mare plăcere să îmbrățișeze creștinismul ca fiind cu totul rezonant cu cel mai profund țel al lor. Creștinii resping adesea această îmbrățișare și subliniază diferența și, desigur, unicitatea lor. Nu există nici o îndoială că existența unui Dumnezeu Creator absolut, omnipotent, însă milostiv, este implauzibilă pentru orice budist educat. În același timp, zeii relaționali, creatori și destul de puternici sînt acceptați fără probleme și constituie o parte importantă a poveștii lui Buddha, chiar dacă nu sînt neapărat considerați mai iluminați decît majoritatea oamenilor. Zeii numeroaselor niveluri și tărîmuri cerești prezenți în cosmologiile budiste sînt extrem de puternici și de inteligenți, foarte absorbiți de cicluri extrem de îndelungate și inimaginabile ale unor plăceri luxuriante, și sînt astfel considerați în pericol de a crede că ciclul egocentric al vieții este bun, iar ei sînt cu adevărat centrul universului – însăși definiția ignoranței sau a cunoașterii greșite a cosmosului, care constituie rădăcina suferinței persistente a vieții neiluminate.

Dar, dincolo de această diferență metafizică referitoare la statutul lui Dumnezeu sau al zeilor, budismul mahayana și creștinismul au apărut și s-au răspîndit separate fiind doar de un ocean foarte traversat, în aceeași etapă a istoriei eurasiatice. Era o perioadă în care imperiile universale în curs de stabilizare generau o formă nouă, mai grijulie și paternalistă, de monarhie imperială, o perioadă în care divinitatea era reproiectată ca echilibrîndu-și aspectele teribile prin preocuparea iubitoare față de indivizii bine reprezentați de salvatori bodhisattva precum Avalokiteshvara și Tara și de salvatori mesianici precum Isus și Fecioara Maria.

Chiar dacă sînt încastrate în metafizica și prezentate în cultura unui Creator omnipotent teribil, viața și principalele învățături ale lui Isus ar fi putut să fie acelea ale unui „mare inițiat" (mahasiddha) budist itinerant. Mesajul lui central era același cu al budismului mahayana: că iubirea și compasiunea divină constituie energia esențială și cea mai puternică a universului. Provocarea lui la adresa stăpînitorilor opresivi de a face tot ce puteau ei pentru a-l omorî a fost de fapt menită tocmai să demonstreze că ei nu puteau să facă asta, arătînd astfel supremația puterii acelei iubiri. Isus a dovedit asta, spre satisfacția adepților lui de-a lungul a mii de ani, arătîndu-și capacitatea de a învinge moartea și violența, dovedind că trupul-iubire se putea ridica chiar și deasupra celei mai crude crucificări, ca un izvor al vieții eterne care ființează luminos dincolo de orice întrupare anume. Învățătura reîncarnării despre „transmigrația sufletelor", obișnuită în epoca și cultura lui (interzisă abia peste două secole și jumătate la porunca împăratului Constantin), făcea acest gen de realizare de inițiat plauzibilă

pentru discipolii lui și succesorii acestora,
cu cîteva excepții.

Există multe astfel de povești despre marii
inițiați ai Indiei antice. Buddha însuși a cal-
mat prin însăși prezența lui blîndă un elefant
sălbatic trimis să îl ucidă pe regele paricid
din Magadha. Tînărul călugăr care l-a con-
vertit pe împăratul Ashoka dintr-un model
de cruzime într-un protector al Nobilei Comu-
nități (Sangha, pe care Kerouac o numea
Biserica) i-a atras atenția împăratului prin
levitație, plutind suspendat într-o bulă răco-
roasă de energie deasupra flăcărilor sălbatice
ale unui cazan cu ulei clocotit. Alchimistul
iluminat Nagarjuna poseda secretul nemuri-
rii și a trăit 600 de ani. Inițiatul Naropa a
fost ars pe rug împreună cu consoarta lui și
amîndoi au rămas nevătămați în mijlocul
flăcărilor. India era plină de povești (oamenii
moderni le vor considera „legende", ceea ce
este în regulă) despre înțelepți sfînți care
demonstrau puterea iubirii asupra morții.

Și apoi există învățăturile: fericirile lui
Isus, extraordinarele lui învățături despre
nonviolență: întoarce și celălalt obraz, dă-i
și cămașa celui care îți ia haina, mergi din-
colo de a-ți iubi prietenii și rudele și învață
să-ți iubești dușmanul, ca și porunca cen-
trală de a-ți iubi aproapele ca pe tine însuți.
Aceste învățături sînt în acord deplin cu etica
budistă a nonviolenței și rezonează puternic
cu accentul mesianic pus de budismul maha-
yana pe altruism, toleranță eroică, iubire și
compasiune. La nivelul înțelepciunii, declara-
țiile lui Isus că împărăția lui Dumnezeu se află
înăuntrul fiecăruia sînt pe deplin compatibile

cu viziunea budistă asupra naturii de Buddha a tuturor ființelor sau cu celebra declarație a lui Nagarjuna despre nondualitate – cea mai profundă realitate este vidul suprem, ca pîntece al compasiunii relaționale (*shunyatakarunagarbham*). Iar puternica declarație a lui Isus către ierarhia preoțească legalistă cu care se confrunta, „Eu sînt calea, adevărul și viața!", poate fi înțeleasă nu ca dictînd exclusivismul religios al unei Biserici sau credințe anume și intoleranța furioasă față de celelalte, ci mai degrabă ca insistînd prin exemplul viu asupra faptului că divinitatea și salvarea fiecărui om rezidă în sine ca individ, și nu în apartenența la cine știe ce confesiune sau instituție.

Faptele Sfîntului Toma din regiunea Kerala a Indiei se aseamănă foarte mult cu cele ale oricărui călugăr sau predicator itinerant budist. Revizuirea Evangheliilor la Conciliul de la Niceea, în special eliminarea Evangheliei după Toma, interzicerea doctrinei budiste sau indiene a transmigrației sufletelor, așa cum a fost ea promovată chiar și de semimartirul Origen, și transformarea creștinismului într-un instrument al statului roman de către Constantin – acestea maschează legătura dintre Christos și Buddha; dar ea a fost sesizată de Mani și de alții mai apropiați de acea epocă. Profesorul McEvilley îi amintește pe unii „scriitori creștini din secolele III-IV precum Hippolyt și Epifanie", care au scris despre un om pe nume Scythianus, care a adus din India în Alexandria „doctrina celor două principii", în jurul anului 50 e.n. Potrivit acestora, elevul lui Scythianus, Terebinthus, s-a prezentat ca „Buddha" și s-a dus în Palestina și Iudeea, unde s-a întîlnit cu apostolii, ce se pare că l-au condamnat. Apoi s-a stabilit în Babilon, unde și-a transmis învățăturile lui Mani, care a înființat la rîndul lui ceea ce s-ar putea numi budismo-creștinism persan sincretic, cunoscut drept maniheism, religia de tinerețe a lui Augustin de Hippona, care, mai tîrziu, a condamnat-o.

Astfel că, în ciuda insistenței creștinilor că învățăturile lor sînt *sui generis*, provenind doar de la Dumnezeu și neavînd nici o legătură cu vreo altă mișcare de pe planetă, budismul mahayana și creștinismul au „asemănări de familie" foarte puternice. Este probabil ca Kerouac să fi înțeles dimensiunile mai profunde și mai ample ale budismului mahayana mai bine decît colegii lui, fie cei ca mine, care erau foarte motivați să se rupă de trecutul lor creștin, fie cei ce își primeau cunoștințele prin filtrul culturilor est-asiatice chineză și japoneză și mai ales prin intermediul legăturii ch'an/zen, în care sînt accentuate meditația și dura „golire de gînduri" în stilul samurailor.

Cel mai important de examinat e înțelegerea personală pe care o are Kerouac despre iluminare, acesta părînd să presupună că ea este experiența unității tuturor lucrurilor, deși în același timp recunoaște persistența participării la o relativitate transformată. Chiar dacă amintește adesea nimicnicia și chiar nimicul, el refuză să reifice orice fel de dispariție și vorbește cel mai adesea de „vid sfînt", nu de nimicnicie, subliniind că „vidul e formă" la fel de mult pe cît „forma este

vid". M-a copleșit prin referirea la „Pîntecele
lui Tathagata" și pare a se simți confortabil
pe tărîmul profund pe care Nagarjuna îl
numește *shunyatakarunagarbham*, „vidul
pîntecului compasiunii". Kerouac oferă multe
descrieri ale experiențelor lui personale privind
meditația (cunoaște toți termenii originali,
dhyana, samadhi, samapatti) spre sfîrșitul lui
Some of the Dharma. Dar pasajul următor din
Vagabonzii Dharma ar putea fi cel pe care el
ar prefera ca eu să-l citez:

Ce-mi păsa de scîncetul micuțului eu, cel
care rătăcește pretutindeni? Mie tocmai mi
se întîmplau înfloriri și ruperi, tăieri, desprin-
deri, evacuări, neîntîmplări, plecări, ieșiri,
nimic, dezlegări, relegări, gări, nări, poc! Praful
gîndurilor mele adunat într-un glob, mi-am
zis, în această solitudine veșnică, și am zîm-
bit cu toată gura, pentru că vedeam lumina
albă pretutindeni și-n toate, în sfîrșit.
Vîntul cald a făcut pinii să vorbească adînc
într-o noapte cînd am început să trăiesc
ceea ce se cheamă „Samapatti", în sanscrită
înseamnă Vizite Transcendentale. Mintea îmi
moțăia puțin, dar eram cumva treaz fizic,
stînd drept sub copac, cînd am văzut deodată
flori, lumi roz de pereți de flori, rozul somo-
nului, în acel șșșt! tăcut al pădurii (să obții
nirvana înseamnă să localizezi liniștea) și am
avut o viziune veche a lui Buddha Dipankara,
Buddha cel care nu a spus nimic niciodată,
l-am văzut pe Dipankara ca pe o piramidă
înzăpezită, cu sprîncene stufoase ca ale lui
John L. Lewis și o privire teribilă, totul întîm-
plîndu-se într-un loc vechi, o pășune veche
înzăpezită, ca Alban („O pășune *nouă*!", stri-
gase negresa predicatoare), și viziunea mi-a

ridicat tot părul de pe cap. Îmi amintesc stri-
gătul de la sfîrșit, pe care l-am auzit în mine,
ce o mai fi însemnînd și asta: *Colyalcolor*.
Viziunea era liberă de orice fel de senzație că
aș mai fi existat eu însumi, era o absență
pură a ego-ului, pură activitate eterică, liberă
de orice predicate inadecvate... liberă de efort
și de greșeală. Totul e bine, m-am gîndit.
Forma e golul și golul e forma și sîntem aici
într-o formă sau alta, care e golul. Ceea ce
au obținut deja morții, acest *șșșt* plin de pe
Tărîmul Pur al Trezirii.
Îmi venea să urlu pe deasupra pădurilor și
acoperișurilor din Carolina de Nord și să anunț
tuturor adevărul simplu și glorios. Și mi-am
zis: am un rucsac plin și pregătit, e primăvară,
o s-o pornesc spre Sud-Vest, spre pămîntu-
rile uscate, spre lungul drum al Texasului și
Chihuahua și spre străzile vesele ale Mexicului,
spre muzică și uși deschise și vin, marijuana,
pălării țicnite, viva! Ce mai contează? Așa
cum furnicile nu au nimic altceva de făcut
toată ziua decît să sape, nici eu nu am nimic
altceva de făcut decît ceea ce vreau și nu
trebuie decît să fiu bun și să nu mă las
influențat de judecăți imaginare și să mă rog
pentru lumină.
Cum stăteam deci sub copacul meu Buddha,
lîngă acel perete *colyalcolor* de flori roz, roșii
și albe ca fildeșul, printre stoluri de păsări
transcedente care-mi recunoscuseră trezirea
minții și-mi semnalizau asta prin țipete dulci,
ciudate (ciocîrlii care nu au nevoie de cărare),
în parfumul eteric, antic și misterios, bine-
cuvîntarea pășunilor lui Buddha, am înțeles
că viața mea e o pagină vastă, goală și stră-
lucitoare și puteam face tot ceea ce voiam[1].

---

1. *Ibidem*, pp. 168-169 (n. red.).

„Colyalcolor" este fără îndoială un mister – îmi amintește de *Koorookoolleh*, numele zeiței bodhisattva roșii precum rubinul care este arhetipul compasiunii înflăcărate. Ea stă într-o poziție de dans, complet goală cu excepția ghirlandelor de flori, și ține un arc de flori cu coardă din albine, trăgînd cu săgeți de flori pentru a deschide inimile ființelor. Dar nu vreau să spun că asta însemna cu adevărat extraordinarul cuvînt al lui Jack. Poate că el este numele „domeniului lui Buddha" pe care îl va crea atunci cînd își va perfecta, cîndva, caracterul de „trezitor". D.T. Suzuki era amuzant. Se spune că, atunci cînd Jack s-a întîlnit cu el și l-a întrebat dacă poate să rămînă cu el pentru totdeauna, acesta a răspuns: „Uneori". Îți poți da seama întotdeauna de ce crede cineva din modul în care explică iluminarea lui Buddha și învățăturile lui fundamentale. Singura notă discordantă din experiența lui este: „Nu am nimic de făcut decît ceea ce vreau", care demonstrează o urmă de neînțelegere nihilistă a vidului de tip „nimic nu contează la urma urmelor" și poate și esența incapacității lui de a-și lua alcoolismul suficient de în serios pentru a scăpa de el și pentru a se prezerva pe sine și geniul său, în beneficiul nostru, nu doar pînă în 1969. Din fericire, Kerouac continuă prin a spune: „...să fiu bun și să nu mă las influențat de judecăți imaginare și să mă rog pentru lumină", ceea ce demonstrează intuiția lui profundă că nondualitatea vidului și formei, nirvana și samsara, obligă persoana liberă să rămînă în mod

cauzal angajată în îmbunătățirea condiției
celorlalți din lumea iluzorie, ireală și relativă.

Cartea trezirii

Ce încîntare să citești *Cartea trezirii*, viziu-
nea lui Kerouac despre viața lui Shakyamuni,
suprema emanație a lui Buddha în epoca
noastră! Stilul abundent al cărții o face să
fie maiestuoasă, ceva ce absorbi dintr-odată,
asemenea unei simfonii, ce culminează oare-
cum cu viziunea de marș eroic a „Sutrei
Shurangama" asupra unei lumi care se dizolvă
în Samadhi-ul de diamant și care vede cum
Tathagata Buddha („Cel Trezit Care a Plecat
Astfel") plutește în universul din petale de
flori de dincolo de trup și în sistemul celor
șapte elemente: pămînt, apă, foc, vînt, spa-
țiu, percepție, conștiință. *Cartea trezirii* are
o aromă fundamentală de nondualitate în
această secțiune, dar apoi revine la o viziune
budistă dualistă mai convențională odată cu
parinirvana („nirvana finală"), tratînd-o ca pe
un somn fără vise al morții, de vreme ce
Kerouac nu cunoștea remarcabilul paradox
al lui Buddha privind prezența lui eternă în
momentul dispariției lui finale ca trup distinct,
așa cum este el revelat în „Sutra Lotusului"
și „Mahaparinirvana".

Cartea trezirii a fost scrisă în prima jumă-
tate a anului 1955. În luna ianuarie a acelui
an, Kerouac se mutase împreună cu mama
lui din Richmond Hill, New York, în casa

surorii lui, Nin, care trăia în Rocky Mount, Carolina de Nord. Departe de viața agitată din New York City, Kerouac a putut să se cufunde în ideea de a duce o viață ascetică în tradiția lui Buddha – stătea de unul singur ore întregi, meditînd sub stelele limpezi ale nopții. Pe pagina de titlu a manuscrisului său scrie: „*Cartea trezirii*, pregătită de Jack Kerouac", dar titlul cărții nu a fost întotdeauna acesta. Numită inițial „Mintea ta esențială. Povestea lui Buddha", Kerouac s-a referit la ea în diferite momente și ca la „manualul meu budist", „Buddha ne spune" și „Buddheitatea. Esența realității".

Kerouac nu încearcă să ascundă utilizarea abundentă a surselor sale, remarcînd la începutul notei autorului: „Este imposibil de separat și de numit nenumăratele surse care s-au revărsat în acest lac de lumină... Nucleul cărții este un rezumat înfrumusețat al amplei *Sutre Surangama*". (Al doilea *s* al titlului ar trebui scris ș pentru a fi exacți din punct de vedere fonetic.) „Am conceput cartea ca pe un manual menit să îi ajute pe occidentali să înțeleagă Legea străveche." (Kerouac folosește vechea echivalare a traducătorilor a lui „Dharma" prin „lege", ceea ce în general nu e greșit, dar nu este exact în acest context; ar trebui să fie „adevăr" sau „învățătură".) „Scopul este convertirea." (Aici, cu siguranța, Kerouac nu vrea să spună înscrierea oamenilor în vreo confesiune budistă formală, ci mai degrabă convertirea lor la scopul inimii în viață, la marea viziune înțeleaptă a divinității lăuntrice și a iubirii și bunătății naturale din cadrul relațiilor.)

Kerouac se inspiră de asemenea masiv din surse Pali în ceea ce privește viața lui Buddha, surse orale străvechi rămase neconsemnate pînă în secolul al V-lea e.n., și din poemul biografic din secolul al II-lea e.n. *Buddhacharita,* al marelui Asvaghosa. Are tendința de a amesteca unele dintre detaliile majorității versiunilor despre viața lui Buddha, datată convențional între 563 și 482 î.e.n. (chiar dacă tibetanii îl plasează în secolul al IX-lea î.e.n., iar savanți europeni recenți îl aduc mai aproape, în secolul al IV-lea î.e.n.). Nu mă voi ocupa de astfel de detalii, ci voi sublinia pur și simplu unele lucruri din text pe care le găsesc minunate.

La începutul cărții, Kerouac spune: „Buddha înseamnă «cel trezit». Pînă de curînd, cei mai mulți îl considerau pe Buddha o siluetă rococo, un grăsan zîmbăreț și pîntecos, așa cum este reprezentat în milioane de suvenire pentru turiști și statuete ieftine de aici, din lumea occidentală... Acest om nu a fost vreun haplea de care să facem mișto, ci un profet serios și tragic, un Isus Christos al Indiei și aproape al întregii Asii. Adepții religiei pe care a întemeiat-o el, budismul, religia Marii Treziri din visul existenței, numără astăzi sute de milioane de oameni". Nu sînt sigur de ce credea Kerouac că Buddha este tragic, și nu triumfător, cum pare că simte de fapt în viziunea pe care o povestește în *Vagabonzii Dharma* și pe care am redat-o mai sus. Poate din cauza primului adevăr nobil al lui Buddha, că „viața neiluminată va fi în mod inevitabil dezamăgitoare și, astfel, doar suferință". Atunci cînd Kerouac spune că Buddha a fost „un Isus

Christos al Indiei și aproape al întregii Asii", el își repetă apostazia față de catolicismul convențional, punîndu-le pe amîndouă la același nivel.

Cîteva pagini mai jos, Kerouac arată că e conștient de „cele patru tărîmuri fără formă" și de faptul că nici unul dintre acestea nu e nirvana: „Alara Kalama [Siddhartha, primul învățător ascetic al tînărului Buddha] își expunea învățătura numită «tărîmul nimicniciei» și practica automortificarea pentru a dovedi că se eliberase de trup". Acest lucru este deosebit de semnificativ, de vreme ce aproape toți traducătorii și eruditii din anii '50 considerau că „vidul" și „nimicul" erau același lucru și astfel au răspîndit concepția greșită că budiștii erau în ultimă instanță nihiliști. Kerouac demonstrează tocmai aici cunoașterea acestei diferențe.

Kerouac își dovedește viziunea realistă și prezice viitoarea lui „samapatti", explicînd exact modul în care Siddhartha a criticat teoria „sufletului suprem" (*Paramatma*) a brahmanilor: „Pe Arada Udarama [celălalt învățător ascetic al lui de la acest moment] l-a întrebat: «În ceea ce privește bătrînețea, boala și moartea, cum se poate scăpa de acestea?»". Pustnicul a răspuns că, dacă «eul» era purificat, eliberarea urma imediat. Aceasta era învățătura străveche despre Sufletul Nemuritor, «Purusha», sau Atman, Sufletul Suprem care trece de la o viață la alta, devenind din ce în ce mai pur sau din ce în ce mai puțin pur, scopul său suprem fiind sufletul pur din cer. Dar, cu inteligența lui sfîntă, Gautama și-a dat seama că acest «Purusha» nu era cu

nimic mai bun decît o minge ce sare încoace
și încolo în funcție de circumstanțe concu-
rente, fie în cer, fie în iad, fie pe pămînt, și,
atît timp cît se susținea această viziune, nu
se puteau evita cu adevărat nașterea și dis-
trugerea prin naștere. Nașterea oricărui lucru
înseamnă moartea acelui lucru; iar asta
înseamnă descompunere, oroare, schimbare,
durere".

Kerouac continuă prin a povesti, antici-
pîndu-și viziunea ulterioară: „Tînărul sfînt,
care se apropia acum de momentul de per-
fecțiune al înțelepciunii și compasiunii sale,
a văzut toate lucrurile, oameni ce stăteau în
crînguri, copacii, cerul, tot felul de viziuni
despre suflet, tot felul de euri, ca pe un vid
unificat în aer, o floare imaginară, a cărei sem-
nificație era unitatea și indivizibilitatea, toate
din același material oniric, universal și pur".
Kerouac exprimă aici nondualitatea budis-
mului mahayana, chiar dacă folosește încă
sursele Theravada: „El a văzut că existența
era asemenea luminii unei lumînări: lumina
lumînării și stingerea luminii lumînării erau
același lucru... Gautama a văzut pacea nir-
vanei lui Buddha. Nirvana înseamnă stin-
gere, ca și cum ai stinge o lumînare suflînd
în ea. Dar, deoarece nirvana lui Buddha este
dincolo de existență și nu concepe nici exis-
tența, nici nonexistența luminii unei lumînări,
a unui suflet nemuritor sau a oricărui alt *lucru*,
ea nu este nici lumina lumînării numite sam-
sara (lumea aceasta), nici stingerea cu o suflare
a luminii lumînării numite nirvana (ne-lumea),
ci se află dincolo de aceste concepții arbitrar
stabilite". Sînt copleșit și uimit de modul în

care Kerouac elucidează nondualitatea pro-
fundă în acest context.

Descrierea iluminării lui Buddha din
Cartea trezirii este deosebit de mișcătoare,
foarte maiestuoasă și plină de intuiție. Este
prea lungă pentru a fi citată aici în întregime.
Kerouac alternează între citarea de surse Pali
și propriile „înfloriri". Voi alege cîteva pasaje
speciale.

> Pustnicul binecuvîntat a mers la Budhgaya.
> Imediat, străvechiul vis al acelor Buddha din
> Vechime a pus stăpînire pe el în timp ce
> privea nobilele crînguri de palmieri, mango
> și arbori-ai-zeilor, *Ficus religiosa*; în după-
> amiaza unduitoare, a trecut pe sub crengile
> lor, singur și uimit, însă avînd în inimă un
> fel de premoniție că aici avea să se întîmple
> ceva măreț. Gautama, „fondatorul" budismu-
> lui, nu făcea decît să redescopere străvechea
> cale pierdută a lui Tathagata (Cel al lui Așa-
> cum-este); redeschidea picătura primordială
> de rouă a lumii; asemenea lebedei milei
> care coboară spre iazul cu lotuși și se lasă
> pe apă, o mare bucurie l-a copleșit la vederea
> copacului sub care a ales să se așeze, ca
> printr-un acord cu toate tărîmurile lui Buddha,
> și a reunit lucrurile lui Buddha care sînt
> ne-lucruri în vidul intuiției sclipitoare din jur,
> asemenea unor roiuri de îngeri și bodhisattva
> ce, ca miriade de fluturi, alunecau la nesfîr-
> șit spre centrul golului, în ADORAȚIE. „Pre-
> tutindeni e aici", a intuit sfîntul... „NU MĂ
> VOI RIDICA DIN ACEST LOC", a hotărît el
> în sinea lui, „PÎNĂ CE, ELIBERATĂ DE TOATE
> LEGĂTURILE, MINTEA MEA NU VA DESCO-
> PERI CUM POATE FI SUPRIMATĂ SUFERINȚA".

S-au scris multe despre acest moment sfînt din locul acum celebru de sub acest Copac Bodhi sau Copac al Înțelepciunii. Nu a fost o agonie într-o grădină, ci o beatitudine sub acel copac. (Aici vine comparația cu Christos făcută de Kerouac.) Nu a fost nici o înviere, ci anihilarea tuturor lucrurilor. (Kerouac cade în dualismul relativ-absolut al Thervadei.) Ce i s-a întîmplat lui Buddha în acele ore a fost să înțeleagă că toate lucrurile vin dintr-o cauză și iau calea dezintegrării, iar astfel toate sînt trecătoare, toate nefericite și, prin urmare și în modul cel mai misterios, ireale. (Aici Kerouac sesizează intuiția budistă esențială a cauzalității; el ajunge mai tîrziu la strofa celebră, mantra-cheie a întregului budism.)

La căderea nopții, el se odihnea deja, liniștit și tăcut. A intrat într-o contemplație profundă și subtilă. Prin fața ochilor i-a trecut pe rînd fiecare tip de extaz sfînt. În timpul primei străji a nopții a ajuns la „percepția corectă" și și-a amintit toate nașterile lui precedente, care i-au trecut prin fața ochilor... Știind cît se poate de bine că esența existenței este un singur așa-cum-este, ce naștere nu ar fi putut să-și amintească Esența Strălucitoare, Misterioasă și Intuitivă a Spiritului lui? Ca și cum el ar fi fost toate lucrurile și doar pentru că nu existase niciodată un „el" autentic, ci toate lucrurile, și astfel toate lucrurile erau același lucru, ținînd de sfera Spiritului Universal, care era Singurul Spirit din trecut, prezent și viitor... Fusese o vreme îndelungată deja sfîrșită, străvechiul vis al vieții, lacrimile tristeții cu multe mame, miriadele de tați din țărînă, eternități ale unor după-amiezi pierdute ale unor surori și frați, zorii somnoroși, scorbura insectei, instinc-tul lamentabil complet irosit pe vid, copleși-toarea, imensa impresie aromitoare a Epocii de Aur care s-a înfiripat în creierul lui că această cunoaștere este mai veche decît lumea... În urechea lui Buddha, așa cum stătea, așezat în meșteșugirea sclipitoare și scînteietoare a intuiției, astfel încît lumina, asemenea unui Lapte Transcendental, stră-lucea orbitor în întunecimea invizibilă a pleoapelor lui închise, a răsunat liniștea invariabilă și pură a mării auzului, care sus-pina, spumegînd, retrăgîndu-se, în timp ce el rechema, mai mult sau mai puțin, conști-entizarea sunetului, chiar dacă în sine era întotdeauna același sunet constant, doar conștientizarea lui variind și estompîndu-se, asemenea apei sărate care sfîrîie și se afundă în nisip la reflux, sunetul nevenind nici din-afara, nici dinăuntrul urechii, ci de pretu-tindeni – marea pură a auzului, Sunetul Transcendental al Nirvanei auzit de copii în leagăn, pe lună și în inima vuietului furtu-nilor, în care tînărul Buddha auzea acum o învățătură care nu înceta, o îndrumare neîn-treruptă, înțeleaptă și limpede, din partea tuturor acelor Buddha din vechime care exis-taseră înaintea lui și a tuturor acelor Buddha ce aveau să vină. Dincolo de țîrîitul îndepăr-tat al greierilor se mai auzeau uneori zgo-mote – un ciripit involuntar al păsărilor adormite din vis, piciorușele șoarecilor-de-cîmp sau o adiere înfiorînd copacii – care tulburau pacea Auzului său, dar zgomotele erau doar accidentale, Auzul primea în marea lui toate zgomotele și accidentele, însă rămînea netulburat ca întotdeauna, cu adevărat de nepătruns, și nici nu se umplea, nici nu scădea, la fel de pur în sine precum un spațiu gol. Sub stelele strălucitoare, Regele Legii, învăluit în liniștea divină a acestui Sunet Transcendental al Extazului de Diamant, rămînea nemișcat.

Apoi, în timpul celei de-a doua străji a nopții, el a ajuns la cunoașterea Îngerilor puri și a văzut în fața lui fiecare ființă, așa cum ar vedea cineva chipuri într-o oglindă; toate ființele născîndu-se iar și iar pentru a pieri, nobile și meschine, sărace și bogate, culegînd roadele faptelor bune sau rele și avînd parte, ca urmare, de fericire ori nefericire... Ceața care acoperea pămîntul la ora 3 a dimineții s-a ridicat împreună cu toate durerile lumii... Nașterea trupurilor este cauza directă a morții trupurilor. Exact așa cum plantarea semînței este cauza trandafirului aruncat la gunoi.

Apoi, privind mai departe, de unde vine nașterea? El și-a dat seama că ea vine din fapte de viață săvîrșite altundeva; apoi, cercetînd acele fapte, a înțeles că ele nu erau opera unui creator, nici nu-și aveau cauza în sine, nu erau nici existențe personale și nu erau nici fără cauză; a înțeles că ele însele aveau la bază un lanț de cauze, cauză după cauză, verigi concatenate alăturîndu-se chingilor care strîng tot ceea ce este formă – formă slabă, doar țărînă și suferință.

Apoi, așa cum cineva care rupe primul nod al bambusului descoperă că restul e ușor de separat, după ce a deslușit cauza morții ca fiind nașterea și cauza nașterii ca fiind faptele, el a ajuns treptat să înțeleagă adevărul; *moartea* este rezultatul *nașterii, nașterea* este rezultatul *faptelor*, *faptele* sînt rezultatul *atașamentului*, *atașamentul* este rezultatul *dorinței*, *dorința* este rezultatul *percepției*, *percepția* este rezultatul *senzației*, *senzația* este rezultatul *celor șase organe de simț*, *cele șase organe de simț* sînt rezultatul *individualității*, *individualitatea* este rezultatul *conștiinței*. [Aici Kerouac străbate cele douăsprezece verigi extrem de importante ale originării dependente.]... Astfel eliberat, în el au apărut cunoașterea și libertatea, iar el a știut că este dezrobit de renaștere și că scopul fusese atins.

Kerouac continuă prin a enumera cele patru adevăruri nobile și calea cu opt brațe. Apoi dezvăluie o viziune mai în spiritul mahayana:

Și știa, în timp ce stătea acolo, magnific în înțelepciunea sa, desăvîrșit în înzestrările sale, că această cale a cunoașterii perfecte îi fusese transmisă de Nenumărații Buddha din Vechime care apăruseră înainte din toate cele zece colțuri ale universului, unde el i-a zărit acum, într-o viziune măreață, adunați cu toții, strălucitori și puternici, stînd pe tronurile lor din Magnifice Flori de Lotus, pretudineni, în toate fenomenele și în tot spațiul, răspunzînd mereu nevoilor vieții conștiente din toate regnurile existenței, trecute, prezente și viitoare.

Odată cu înțelegerea marilor adevărurilor și cu împlinirea lor în viață, rishi-ul a atins iluminarea; el a atins astfel *sambodhi* (Înțelepciunea Desăvîrșită) și a devenit un Buddha. Sambodhi a fost numită așa pe bună dreptate, ea poate fi realizată doar prin soluții proprii, fără ajutorul unui învățător sau zeu

din exterior... Razele soarelui de dimineață
străluceau în zori, ceața se risipea ca praful,
dispărea. Lumina slabă a lunii și stelelor a
pălit, barierele nopții au fost date la o parte.
El ajunsese la capătul acestei mari lecții,
prima și ultima, lecția din vremuri străvechi;
intrînd în marea casă a a Somnului Fără
Vise, încremenit în transa sfîntă, el atinsese
sursa adevărului inepuizabil, fericirea care
nu se sfîrșește niciodată și care nu are înce-
put, ci care fusese acolo dintotdeauna, în
interiorul Adevăratului Spirit.

Nu prin folosirea neliniștită a unor mijloace
exterioare dezvăluise Buddha Adevăratul Spirit
și pusese capăt suferinței, ci cufundîndu-se
în tăcerea contemplativă. Aceasta este reali-
tatea supremă a tihnei binecuvîntate.

Era *sihibhuto*, detașat.

Cam după primul sfert al cărții, Kerouac
descrie triumful lui Buddha ca învățător al
lumii:

Astfel, Tathagata, Cel-Care-a-Ajuns-la-Așa-
cum-este-al-Spiritului și nu mai vede nici o
diferențiere între diversele ființe și fenomene,
cel care nu mai întreține nici un fel de con-
cepții clare despre sine, despre sinele altora,
despre multe euri separate sau un sine uni-
versal nedivizat, pentru care lumea nu mai
este observabilă altfel decît ca o apariție jal-
nică, însă care e lipsit de o concepție arbi-
trară fie a existenței, fie a nonexistenței ei,
așa cum nu te gîndești să măsori materiali-
tatea unui vis, ci doar cum să te trezești din
el; astfel Tathagata, calm și tăcut, evlavios,
înconjurat de o aură de splendoare, radiind
lumină în jur, s-a ridicat de sub Copacul

Iluminării și, cu neegalată demnitate, a pășit singur pe pămîntul asemenea unui vis ca și cum ar fi fost înconjurat de discipoli, gîndindu-se: „Pentru a-mi împlini vechiul jurămînt de a-i salva pe toți cei care încă nu au fost dezrobiți, voi urma vechiul meu legămînt. Fie ca aceia care au urechi de auzit să stăpînească nobila cale a salvării".

Cîteva pagini mai jos, primim un indiciu despre sursa de la care Kerouac își ia titlul: „Căci pentru acești vechi călugări, care percepeau în mod clar nașterea drept cauză a morții și faptele dorinței drept cauză a nașterii, Buddha era asemenea celui care stă pe mal, strigîndu-i omului neștiutor purtat de curent: «Hei, tu! Trezește-te! Fluviul poate părea plăcut în visul tău, dar sub el este un lac cu vîrtejuri și crocodili, fluviul este dorința malefică, lacul este viața senzuală, valurile sînt furia, vîrtejurile sînt poftele trupești, iar crocodilii sînt femeile»".

Kerouac este dirijat către mantra-cheie, în cuvintele discipolului Ashvajit: „Toate lucrurile provin dintr-o cauză, Buddha a enunțat care e cauza lor și care este descompunerea lor. Asta este ceea ce ne învață Cel Măreț", *Om ye dharmah hetusvabhavah hetun tesham tathagata hi avadat tesham cha yo nirodho evam vadi mahashramanah.*

Kerouac amintește de asemenea fericirea finală a tatălui lui Buddha, Suddhodana, și aici îmi pot imagina fantezia lui despre o împăcare cu propriul tată, Leo, care de fapt nu a avut loc niciodată, din cîte înțeleg de la specialiști: „După ce a aflat de la fiul lui

cum să scape de teamă și cum să evite căile
malefice ale nașterii, într-un mod de o ase-
menea demnitate și blîndețe, regele însuși
și-a părăsit domeniul regal și țara și a
pătruns în fluxurile calme ale gîndurilor,
poarta adevăratei legi a eternității. Cufun-
dat în meditație, Suddhodana a băut rouă.
Amintindu-și cu mîndrie, în noapte, de fiul
său, el a ridicat privirea către stelele infinite
și și-a dat seama dintr-odată: «Cît de bucu-
ros sînt că sînt viu, pentru a venera acest
univers înstelat!», apoi: «Dar nu este vorba
despre a fi viu, iar universul înstelat nu e
neapărat universul înstelat» și și-a dat seama
de stranietatea totală și în același timp de
caracterul comun al înțelepciunii de nedepă-
șit a lui Buddha".

După o treime din *Cartea trezirii*, Kerouac
îl descrie pe Buddha drept supremul „vaga-
bond Dharma", într-un pasaj incredibil de
strălucitor pe care mă simt obligat să îl repet:

Buddha accepta orice fel de mîncare, bună
sau rea, orice primea, de la bogați sau de la
săraci, fără deosebire, iar după ce își umplea
bolul cu care cerșea, se întorcea în solitudine,
unde medita la rugăciunea lui pentru elibe-
rarea lumii de suferința ei animalică și de
faptele sîngeroase neîncetate ale morții și
nașterii repetate, de războaiele ignoranței,
de uciderea cîinilor, de povești, nebunii, de
părinții care îi bat pe copii, de copiii ce chi-
nuie copii, de iubitul care își distruge iubita,
de tîlharul ce îl jefuiește pe avar, de mitoca-
nii pofticioși, înfumurați, nebuni, sălbatici și
însetați de sînge, de și mai mult sînge, idioți

iremediabili alergînd prostește prin osuarele create de ei înșiși, zîmbind afectat, simple chinuri și apariții onirice, o fiară monstruoasă revărsînd forme dintr-un preaplin, totul îngropat în întunecimea nepătrunsă, cîntînd speranța optimistă care nu poate fi decît dispariția completă, inocentă în fond și lipsită de orice urmă a unei naturi proprii; căci, în cazul în care cauzele și condițiile nebuniei ignorante a lumii ar fi înlăturate, natura non-ignoranței sale non-nebune ar fi revelată, asemenea copilului zorilor ce pătrunde în cer prin dimineața din lacul spiritului, Spiritul Pur, Adevărat, sursa, Esența Desăvîrșită Originară, strălucirea goală, divină prin natura ei, singura realitate, imaculată, universală, eternă, sută la sută mentală, pe care e imprimată toată această întunecime plină de visare, pe care aceste forme trupești nereale apar pentru ceea ce pare a fi o clipă și apoi dispar pentru ceea ce pare a fi o eternitate.

La jumătatea cărții, Kerouac își recită refrenul: „Totul este gol pretutindeni și pentru totdeauna, treziți-vă! Mintea este neghioabă și mărginită dacă ia aceste simțuri, piedici meschine din vis, drept realitate; ca și cum adîncurile oceanului ar fi mișcate de vîntul care face valurile să unduiască. Și acest vînt este ignoranța". Și mai jos: „Totul are loc în mintea voastră, ca un vis. Imediat ce vă treziți și încetați să visați, mintea voastră se întoarce la vidul și puritatea ei de la început. De fapt, mintea voastră s-a întors deja la vidul și puritatea ei de la început, iar această lume nu este decît o umbră șchioapă. De ce

continuați să uitați așa de ușor mintea natu-
rală, minunată și iluminată a desăvîrșirii –
acest spirit misterios al strălucirii radioase?"
(Acesta pare a fi un amestec de citate din
Sutra Shurangama.)

Apoi el ajunge la miezul adevărat al Sutrei:

> Privește cu atenție! Privește fix dincolo de
> înfățișarea lucrurilor și nu vei vedea decît
> marea inimă a compasiunii tuturor acelor
> Buddha din vremurile vechi, de dincolo de
> credință. Aceasta este Yathabhutam, vederea
> cu adevărat a lucrurilor... Cu toate acestea,
> oamenii din lume, giganți fantomatici dinăun-
> trul minții, ignorînd principiul care le guver-
> nează existența, devin nedumeriți în încîlceala
> de cauze și condiții și naturalism, cred că
> pămîntul poartă semnele unei naturi inerente,
> doar a lui, și îl numesc „natural" și „Mama
> Natură", cu toți arborii mentali independenți
> de trupurile lor, ei cred că el există datorită
> unor cauze precum crearea de către un Sine
> Creator autocreat și conștient de sine, care
> i-a făcut după chipul său, și că existența lor
> este supusă condițiilor „timpului", atomilor,
> anotimpurilor, intervențiilor celeste, destinului
> personal, toate acestea constituind în între-
> gime discriminări ale conștiinței lor mentale
> și cuvinte pur figurative care în realitate nu
> au nici o semnificație.

(Cam atît despre presupusa credință neclin-
tită a lui Kerouac în dogmele teologice ale
Creației.)

„Ananda, în mod firesc, nu ai știut niciodată
că, în interiorul Pîntecelui lui Tathagata, natura

esenţială a conştiinţei este iluminatoare şi
inteligentă, adică, de pildă, ea nu este nici
conştientă de percepţia vederii izvorului şi
heleşteielor, nici non-conştientă, ea este con-
ştientă de Dharma Ne-lucrurilor. Ananda, vei
spune oare că acea piatră şi acel heleşteu
sînt două lucruri diferite? Ar fi mai bine dacă
ai spune că fiecare din ele este un Buddha
şi că noi nu avem nevoie decît de un Buddha,
deoarece toate lucrurile sînt Ne-lucruri, şi că
toate lucrurile sînt prin urmare nişte Buddha.
Aceasta este Cunoaşterea Diamantului, tot
restul este cunoaştere despre valuri şi baloane
de săpun. Această intuiţie iluminată este ade-
vărata ta Esenţă a Conştiinţei şi este aseme-
nea naturii intrinsece a spaţiului."
La care Ananda şi întreaga adunare, după
ce au primit această îndrumare minunată şi
profundă din partea Stăpînului Tathagata şi
după ce au ajuns la o stare de acord perfect
al minţii şi la o dezrobire completă a minţii
de toate amintirile, gîndurile şi dorinţele, au
devenit liberi atît cu trupul, cît şi cu spiritul.
Fiecare dintre ei a înţeles clar că spiritul
poate ajunge în toate cele zece colţuri ale
universului şi că percepţia vederii poate să
ajungă şi ea în cele zece colţuri. Le era la fel
de clar ca şi un fir de iarbă ţinut în mînă.
Au înţeles că toate fenomenele de pe lume
nu erau decît spiritul lor minunat, inteligent
şi originar al Iluminării, trupurile lor fizice
născute din părinţii lor păreau asemenea
unor fire de praf purtate prin spaţiul liber al
celor zece colţuri ale universului. Cine ar fi
observat existenţa lor? Trupul lor fizic era
asemenea unui bob de spumă plutind dea-
supra unui ocean imens şi nestrăbătut, nea-
vînd nimic distinctiv care să indice de unde

vine și, dacă ar dispărea, unde s-a dus. Și-au
dat seama foarte clar că dobîndiseră, în sfîr-
șit, propriul spirit minunat, un spirit care era
permanent și indestructibil.

Mergînd mai departe, cînd comparăm des-
crierea iluminării lui Ananda din *Shurangama*
cu descrierea lui Kerouac din *Vagabonzii
Dharma*, înțelegem de ce a spus că lungile
lui citate din *Sutra* constituie miezul biogra-
fiei:

Dintr-odată a părut că toți copacii din crîngul
lui Jeta și toate valurile care clipoceau pe
malurile lacurilor lui cîntau muzica Dharmei
și toate razele încrucișate de strălucire erau
asemenea unei rețele splendide bătute cu
pietre prețioase și arcuindu-se deasupra lor.
O astfel de priveliște minunată nu fusese
niciodată imaginată de sfinții credincioși
strînși laolaltă, ea reducîndu-i la tăcere și
evlavie. Fără să-și dea seama, au intrat în
pacea beatifică a Samadhi-ului de diamant,
adică fiecare dintre ei a ascultat imediat
vuietul intens și misterios al tăcerii, toți cei
1.233, și deasupra lor au părut că se lasă
ca o ploaie blîndă petalele moi ale multor
flori de lotus diferit colorate – albastru și
stacojiu, galben și alb –, amestecîndu-se toate
unele cu altele și reflectîndu-se în spațiul
liber al cerului, în toate nuanțele spectrului.
Mai mult, toate diferențierile munților din
mințile lor, precum și mările, rîurile și pădu-
rile lumii suferind de Saha s-au amestecat
împreună și au dispărut, lăsînd în urma lor
doar unitatea împodobită cu flori a Cosmosului
Primordial. În centru, așezat pe un lotus pur,

l-au văzut pe Tathagata, Cel Deja Așa, Perla și Stîlpul lumii.

Momentul din *Sutra* în care Manjusri îl îndeamnă pe Ananda la practica contemplativă a întoarcerii spre sine poate foarte bine să stea la baza presupusei metode a lui Kerouac de a transcrie direct fluxul conștiinței, pe care el probabil îl considera a fi curgerea arbitrară prin minte a formelor vide nonduale ale lumii.

„Ananda, ar trebui să inversați percepția externă a auzului și să ascultați lăuntric sunetul perfect unificat și intrinsec al propriului spirit-esență, căci imediat ce veți ajunge la acordul desăvîrșit, veți ajunge la iluminarea supremă. Aceasta este singura cale către nirvana, care a fost urmată de toți acei Tathagata ai trecutului. Mai mult, toți bodhisattva-mahasattva din prezent și toți cei din trecut trebuie să spere la iluminarea desăvîrșită. Nu doar că Avaloki-Tesvara a ajuns la iluminarea desăvîrșită în epoci de mult apuse prin această Cale de Aur, ci în prezent eu însumi sînt unul dintre ei... dar pentru neinițiați, această metodă comună de concentrare a minții asupra simțului auzului, îndreptîndu-l spre interior prin această Ușă a Dharmei pentru a auzi Sunetul Transcendental al Spiritului lui Esențial, este foarte potrivită și înțeleaptă."

Cîteva pagini mai jos, Kerouac avansează o etică la a cărei urmare aspira, în mod evident, el însuși: „Cele Patru Precepte sînt: 1. Trezește-te, înfrînează dorința sexuală,

dorința sexuală duce la multiplicitate, vrajbă
și suferință. 2. Trezește-te, înfrînează ten-
dința către răutate față de ceilalți, răutatea
este ucigașul vieții înțelepciunii. 3. Trezește-te,
înfrînează lăcomia și furtul, ar trebui să îți
privești trupul nu ca fiind al tău, ci ca fiind
una cu trupurile tuturor celorlalte ființe con-
știente. 4. Trezește-te, înfrînează nesinceri-
tatea secretă și minciuna, nu ar trebui să
existe nici un fel de falsitate în viața ta, nu
există nimic ascuns într-o strop de rouă care
se sparge."

Aici Kerouac marchează o rezonanță inte-
resantă cu Isus: „Exuberanți și încrezători,
percepînd seninătatea, seriozitatea morală
și blînda cumințenie a Maestrului, tot mai
mulți discipoli s-au alăturat Frăției. Dintre
cei Doisprezece Mari Discipoli ai lui, cu
500 de ani înaintea lui Christos și a celor
Doisprezece Apostoli ai lui, Cel Binecuvîntat
a spus: «În afara religiei mele, cei Doispre-
zece Mari Discipoli, care, fiind buni, înalță
lumea și o eliberează de indiferență, nu pot
fi găsiți»".

Spre sfîrșitul cărții, Kerouac introduce
nirvana finală, cu Buddha care îl consolează
pe tulburatul Ananda: „Dacă lucrurile din
jurul nostru ar putea fi păstrate pentru tot-
deauna și nu ar fi supuse schimbării sau
separării, atunci aceasta ar fi salvarea! Unde
am putea căuta aceasta? În miezul tuturor
lucrurilor există iubire și toate lucrurile sînt
unul și același. *Svaha!* Sînt hotărît, îmi caut
odihna. Singurul lucru care trebuia făcut a
fost făcut demult".

Kerouac încheie cu o descriere pătrunzătoare a plecării lui Buddha din întruparea lui manifestă spre parinirvana, nu, cum observă el, din cea de-a noua stare contemplativă, ca și cum asta ar fi o anihilare de după anihilare, ci din starea a patra, de la granița orizontului evenimentelor aparținînd domeniului spațiului infinit, acolo unde masa devine infinită la viteza luminii:

El a trecut succesiv prin toate cele nouă Dhyana [stări contemplative] în ordine; apoi a parcurs drumul invers și a intrat în prima și din prima s-a înălțat și a intrat în Dhyana a Patra, Dhyana Nici a Bucuriei, Nici a Suferinței, absolut pură și egală, esența desăvîrșită, orginară și eternă a Minții. Ieșind din starea de extaz Samadhi, cu sufletul fără un loc de odihnă, el a ajuns imediat la parinirvana, disparitia completă a formei după ce a murit... Suportînd în mod voluntar infinite încercări de-a lungul a nenumărate epoci și nașteri, pentru a putea elibera omenirea și tot ce este viu, renunțînd la dreptul de a intra în nirvana și aruncîndu-se iar și iar în torentul samsara al vieții și destinului cu singurul scop de a propovădui învățătura căii de eliberare de durere și suferință, acesta este Buddha, care este oricine și totul, Aremideia, Lumina Lumii, Tathagata, Maitreya, Eroul Ce Va Să Vină, Cel Care Umblă pe pămînt, Cel Care Stă sub Copaci, constant, energic, intens uman, Marea Ființă Înțeleaptă a Milei și Blîndeții.
Legea nobilă și fără pereche a lui Buddha ar trebui să primească adorația lumii.

Nu am habar cine este „Aremideia", posibil o variantă a lui Amitabha, Amitofo în chineză, Amida în japoneză, Buddha al Luminii Infinite și al Vieții Infinite, care menține și locuiește în universul-paradis Sukhavati dinspre apus, dincolo de la fel de multe universuri pe cît de multe fire de nisip sînt în cele 62 de albii ale Gangelui. În orice caz, este evident că Kerouac s-a ridicat la înălțimea sarcinii ce i-a fost atribuită într-o viziune dată de Avalokitesvara, acel bodhisattva cu o mie de brațe, o mie de ochi și unsprezece capete al compasiunii universale, așa cum se relatează în *Vagabonzii Dharma*:

Într-o noapte, în timpul unei viziuni, Avalokitesvara Ascultătorul și Respondentul Rugăciunilor mi-a zis: „Ți-am dat puterea să le amintești oamenilor că sînt liberi", așa că m-am atins, ca să-mi amintesc mie asta mai întîi, și am strigat bucuros „Ta!", am deschis ochii și o stea căzătoare a trecut pe boltă[1].

Robert A.F. Thurman
Profesor Jey Tsong Khapa de studii budiste
indo-tibetane, Columbia University

Woodstock, New York
18 iunie 2008

---

1. *Ibidem*, p. 272 (n. red.).

Adorație pentru Isus Christos,
Mesia al lumii creștine;
Adorație pentru Gautama Sakyamuni,
Trupul-Aparență al lui Buddha.

O rugăciune budistă la mănăstirea din
Santa Barbara, scrisă de Dwight Goddard

Jack Kerouac, *Iluminare*,
desen în creion dintr-un album
de schițe, cca 1956

Nota autorului

Această carte urmează ceea ce spun sutrele. Ea conține citate din Scrierile Sfinte ale canonului budist, unele citate direct, altele amestecate cu cuvinte noi, altele nu citate, ci parafrazate, în cuvinte noi alese de mine. Firul poveștii urmărește viața lui Gautama Buddha, așa cum este ea prezentată în *Buddha-Charita* a lui Asvaghosa și în „Viața lui Buddha ca personaj istoric" a lui Narasu, cu înflorituri și rearanjări. Este imposibil de separat și de numit nenumăratele surse care s-au revărsat în acest lac de lumină, cum ar fi *Sutra Lankavatara, Dhammapada, Anguttara Nikaya, Itivuttaka, Digga Nikaya, Majjhima Nikaya, Theragatha, Vinaya Pitaka, Sutra Prajna-Paramita-Hridaya, Samyutta Nikaya,* chiar *Chuangtzî, Dao De Jing, Viața lui Milarepa, Mahayana Samgraha* și o mie de alte surse. Nucleul cărții este un rezumat înfrumusețat al amplei *Sutre Surangama,* al cărei autor, ce pare a fi cel mai mare scriitor care a trăit vreodată, este anonim. El a trăit în secolul I e.n. și s-a inspirat din sursele epocii lui, scriind de dragul Celei mai Strălucitoare Iluminări Divine. Am conceput cartea ca pe un manual menit să îi ajute pe occidentali să înțeleagă Legea străveche. Scopul este convertirea. Fie ca eu să mă ridic la înălțimea acestor cuvinte: „A aduce laude nobilului călugăr și a-i povesti faptele, de la prima pînă la ultima, fără a urmări interese egoiste și cinstirea de sine, fără dorința de faimă personală, ci urmînd ceea ce spun scripturile, spre binele lumii, acesta a fost țelul meu" (Asvaghosa, secolul I e.n.).

Buddha înseamnă „cel trezit".

Pînă de curînd, cei mai mulți îl considerau pe Buddha o siluetă rococo șezînd, un grăsan zîmbăreț și pîntecos, așa cum este reprezentat în milioane de suvenire pentru turiști și statuete ieftine de aici, din lumea occidentală. Oamenii nu știau că Buddha a fost în realitate un prinț frumos care a început dintr-odată să mediteze în palatul tatălui său, uitîndu-se prin fetele care dansau ca și cum ele nici nu ar fi existat, la vîrsta de 29 de ani, pînă cînd, în cele din urmă, a dat din mîini a lehamite și a plecat în pădure pe calul său de război, și-a tăiat cu sabia părul lung și auriu, s-a așezat alături de oamenii sfinți din India vremii lui și a murit la 80 de ani, un rătăcitor uscățiv și venerabil ce colindase drumuri străvechi și păduri în care trăiau elefanți. Acest om nu a fost vreun haplea de care să facem mișto, ci un profet serios și tragic, un Isus Christos al Indiei și aproape al întregii Asii.

Adepții religiei pe care a întemeiat-o el, budismul, religia Marii Treziri din visul existenței, numără astăzi sute de milioane de oameni. Puțini oameni americani și occidentali și-au dat seama de amploarea și profunzimea sistemului religios din Orient. Puțini știau că Burma, Coreea, Siamul, Tibetul, Japonia și China precomunistă sînt țări predominant budiste, așa cum Statele Unite, Anglia, Franța, Italia și Mexic sînt țări predominant creștine.

Tînărul acesta care nu a putut fi ispitit de un harem de fete minunate din cauza înțelepciunii marii lui melancolii era Gautama, născut Siddhartha în 563 î.e.n., prinț al clanului Sakya din districtul Gorakhpur din India. Mama lui, al cărei nume era, în mod curios, „Maya", ceea ce în sanscrită înseamnă „magie", a murit la nașterea lui. A fost crescut de mătușa lui, Prajapati Gautami. În tinerețe nu îl întrecea nimeni la exercițiile fizice și călărit, așa cum se cuvine unui membru al castei războinicilor, Kșatriya. Legenda vorbește despre o competiție senzațională în care el i-a întrecut pe toți ceilalți prinți pentru a obține mîna lui Yasodhara.

S-a căsătorit la 16 ani cu prințesa Yasodhara, care i-a dăruit un fiu, pe Rahula. Tatăl lui, maharajahul Suddhodhana, îl iubea ca pe ochii din cap și s-a sfătuit cu miniștrii lui încercînd să găsească mijlocul de a-i face pe plac și a-i abate gîndurile de la tristețea profundă care creștea tot mai mult în sufletul lui pe măsură ce se apropia de 30 de ani. Într-o zi, în timp ce străbătea grădinile regale în trăsură, prințul a zărit un bătrîn mergînd împleticit pe drum.

— Ce fel de om este acesta? Cu părul alb și adus de spate, cu ochii încețoșați și trupul ofilit, ținînd în mînă un băț de care să se sprijine cînd merge? Trupul lui s-a uscat dintr-odată de la arșiță sau așa s-a născut?... Întoarce repede trăsura, să mergem înapoi. Cu gîndul mereu la bătrînețea care se apropie, ce plăceri îmi mai pot oferi acum aceste grădini, anii vieții mele zburînd iute ca vîntul; întoarce trăsura și du-mă pe dată la palat.

Apoi, la vederea unui mort care era purtat către catafalcul său din apropiere:

— Cei din alai sînt copleșiți de durere, smulgîndu-și părul și bocind de ți se rupe inima de milă... Este acesta singurul mort sau mai sînt și alții pe lume? O, oameni lumești! a strigat tînărul și nefericitul prinț. Pretutindeni vezi trupul transformat în țărînă, însă pretutindeni traiul e cu atît mai nepăsător; inima nu este nici lemn, nici piatră lipsită de viață și totuși ea crede că nu TOTUL ESTE PIERITOR...

În noaptea aceea, din porunca regelui, care aflase despre această întîmplare, Udayi, ministrul regelui, le-a pus pe fete să îl ademenească pe prințul Siddhartha cu farmecele lor. Acestea au încercat să îl ispitească făcînd multe mișcări încîntătoare, lăsînd să le cadă leneș mătăsurile de pe umeri, unduindu-și brațele, arcuindu-și sprîncenele, dansînd provocator, mîngîindu-i încheieturile mîinilor, unele chiar prefăcîndu-se că roșesc, derutate, scoțînd trandafiri de la sîn și strigînd:

— Ah, acesta este al tău sau al meu, tinere prinț?

Dar prințul, care acum înțelegea ce înseamnă suferința, a rămas stană de piatră. La miezul nopții fetele, epuizate, adormiseră pe divanuri și perne. Doar prințul mai era treaz.

— Nu e vorba că aş fi nesimţitor faţă de frumuseţe, i-a spus el ministrului mohorît şi întrebător, sau că nu cunosc forţa bucuriilor umane, ci doar că văd în toate semnul schimbării; prin urmare, am inima tristă şi grea; dacă aş şti negreşit că toate acestea durează, fără relele bătrîneţii, bolii şi morţii, atunci m-aş înfrupta şi eu pe deplin din iubire; şi nu aş afla lehamite sau tristeţe niciodată. Dacă vei face în aşa fel ca frumuseţea acestor femei să nu se schimbe şi să nu se ofilească în viitor, atunci, chiar dacă bucuria iubirii ar putea avea şi ea răul ei, ea ar înrobi totuşi spiritul. Să ştii că alţii îmbătrînesc, se îmbolnăvesc şi mor, asta ar fi de ajuns pentru a lipsi asemenea bucurii de orice satisfacţie: dar cu atît mai mult în propriul caz (ştiind asta) ar fi spiritul copleşit de nemulţumire; să ştii că astfel de plăceri sfîrşesc în putreziciune, ca şi trupul tău; dacă, lăsînd asta la o parte, oamenii se lasă copleşiţi de puterea iubirii, soarta lor este într-adevăr asemenea celei a animalelor. Nu înseamnă decît a seduce pe cineva cu o minciună găunoasă. Vai! Vai! Udayi! La urma urmei, acestea sînt marile griji; durerea naşterii, bătrîneţea, boala şi moartea; această suferinţă e cea de care trebuie să ne temem; ochii văd cum toate lucrurile intră în declin şi totuşi inima găseşte bucurie în a le urma. Vai! Vai ţie, lume! Ce hău al neînţelegerii, întunecat şi neştiutor!

Şi a rostit acest jurămînt:

— Voi căuta acum o lege nobilă, aparte de căile lumeşti cunoscute oamenilor. Voi lupta cu boala, bătrîneţea şi moartea şi voi sta împotrivă răului adus de acestea asupra oamenilor.

Pentru a face asta, el s-a hotărît să părăsească palatul pentru totdeauna și să meargă să mediteze în singurătatea pădurii, așa cum era obiceiul în acele vremuri ale religiei naturale.

Și i-a arătat lui Udayi fetele care dormeau, căci acestea nu mai erau frumoase fără trucurile lor lamentabile: sforăiau, întinse în tot felul de poziții neatrăgătoare, acum părînd niște simple surori demne de milă de pe pămîntul acesta ars de suferință.

Cînd regele a auzit de decizia fiului său de a pleca de acasă și de a apuca drumul unei vieți sfinte, a protestat, lăcrimînd. Dar tînărul monarh a spus:

— Ah! Nu îmi pune piedici în cale; fiul tău sălășluiește într-o casă cuprinsă de flăcări, vrei cu adevărat să îl împiedici să plece? E de înțeles că vreau să îmi limpezesc îndoielile, cine ar putea opri un om să caute lămuriri?

Și a lăsat clar de înțeles că mai degrabă și-ar curma singur viața decît să fie obligat prin datoria lui filială să continue să trăiască în ignoranță.

Văzîndu-l pe tatăl lui că plînge, prințul s-a hotărît să plece în timpul nopții. Nu doar maharajahul, ci și frumoasa prințesă Yasodhara îl implorau să nu renunțe la datoriile și responsabilitățile domniei și ale vieții conjugale. Cu capul în poala lui Yasodhara, el s-a întristat, știind cîtă durere avea să-i aducă acesteia renunțarea lui la tot. Și s-a gîndit: „Iubitoarea mea mamă m-a purtat în pîntece cu adîncă

afecțiune, iar apoi, după ce m-a născut, a
murit, nefiind lăsată să mă hrănească. Unul
viu, celălalt mort, am luat-o pe căi diferite;
unde o fi ea acum? Așa cum în sălbăticie,
într-un copac înalt, toate păsările care tră-
iesc cu perechea lor se adună seara și se
împrăștie dimineața, la fel sînt și despărți-
rile lumii acesteia". Privindu-și fiul de 3 ani,
Rahula, i-au răsărit în minte gîndurile pe
care avea să le rostească mai tîrziu: „Puneți-i
numele Rahula, «legătură», căci iată încă o
legătură pe care trebuie să o rup".

Lui Kandaka, slujitorul lui, i-a spus în
toiul nopții, cînd totul era pregătit:

— Pune șaua pe calul meu și adu-l repede
aici. Vreau să ajung în orașul fără moarte;
inima mea este statornicită dincolo de orice
schimbare, sînt hotărît și legat de un legămînt
sacru.

Călare pe cai, au ieșit în liniște pe poarta
palatului regal. Privind o dată în urmă, prin-
țul a strigat, tremurînd:

— Dacă nu voi scăpa de naștere, bătrînețe
și moarte, nu voi mai călca niciodată pragul
acesta.

Stăpînul și slujitorul au străbătut călare
pădurea întunecată. În zori, ajungînd într-un
loc, au descălecat și s-au odihnit.

— M-ai adus cu bine pînă aici! a spus
prințul mîngîindu-și calul.

Iar slujitorului său:

— M-ai urmat totdeauna atunci cînd ple-
cam călare și îți port o mare recunoștință –
nu te-am cunoscut altfel decît ca pe un om
cu inima curată –, dar nu te pot ține în loc cu
prea multe vorbe, așa încît îngăduie-mi să îți

spun de-a dreptul că aici drumurile noastre se despart: ia dar calul meu și fă cale-ntoarsă; căci eu, în noaptea lungă ce a trecut, am ajuns în locul acela pe care îl căutam!

Văzînd că slujitorul nu se îndura deloc să plece, prințul i-a dat o bijuterie.

— Ah, Kandaka, ia nestemata asta, întoarce-te la tatăl meu și așaz-o cuviincios la picioarele lui, ca să priceapă cît de legată se simte inima mea de el: iar apoi cere-i regelui, din partea mea, să își înăbușe orice simțăminte de iubire și spune-i că, pentru a scăpa de naștere, bătrînețe și moarte, eu am intrat în pădurea sălbatică a disciplinei dureroase; nu că aș putea dobîndi o naștere cerească, nici că am inima împietrită sau că am vreo pricină de amărăciune, ci numai deoarece caut calea evadării supreme. Chiar străbunii mei, regi biruitori, gîndind că tronul lor este statornicit și de neclintit, mi-au lăsat moștenire bogățiile lor regești; eu, care gîndesc numai la religie, le-am dat cu totul la o parte; mă bucură că am căpătat o bogăție religioasă. Iar dacă vei spune că sînt tînăr și crud și că nu a venit vremea pentru a căuta, află că o vreme nepriincioasă pentru a căuta adevărata religie nu se află; vremelnicia și nestatornicia, ura față de moarte, acestea ne urmează întotdeauna, astfel că eu îmbrățișez ziua de azi, încredințat că ceasul acesta e numai bun pentru a-mi începe căutările.

Sărmanul Kandaka a izbucnit în plîns.

— Dar nu te mîhni acum, tu singur ești acela care poți să îți găsești alinare; toate ființele, fiecare în felul ei, care pretind în mod

nesăbuit că toate lucrurile sînt neschimbă-
toare m-ar înrîuri astăzi să nu îmi părăsesc
neamul și rubedeniile; dar, atunci cînd voi
muri și voi fi numai o nălucă, în ce fel vor
putea să mă țină lîngă ele?

Acestea erau cuvinte pe care te-ai fi aștep-
tat să le auzi de la un Înțelept uimitor și pur,
însă, rostite de buzele unui prinț tînăr și
blînd, ele erau ca niște pietre pe inima celor
care îl iubeau și care tînjeau să îi facă pe
plac. Dar nu exista altă cale; legătura lui cu
lumea trebuia ruptă.

— Încă de la începuturi oamenii au făcut
greșeala asta, a spus el, legîndu-se de alți
oameni și prin legături de iubire, iar apoi, ca
atunci cînd te trezești dintr-un vis, totul se
risipește. Poți să spui tuturor vorbele acestea
ale mele: „După ce voi fi scăpat de oceanul
trist al nașterii și morții, abia apoi mă voi
întoarce iar; dar sînt hotărît, dacă nu voi
găsi ceea ce caut, trupul meu va pieri în
sălbăticia munților".

Apoi și-a scos sabia sclipitoare, și-a tăiat
minunatul păr auriu și a legat sabia împre-
ună cu niște bijuterii de șaua calului său de
război, iute de picior:

— Ține-te după Kandaka. Nu lăsa triste-
țea să te cuprindă, sînt cu adevărat mîhnit
din pricină că te pierd, bravul meu armăsar.
Ți-ai făcut datoria cu prisosință: te vei bucura
îndelung de o păsuială a nașterii celei rele.

Și i-a trimis de acolo, pe slujitor și pe cal,
rămînînd singur în pădure, cu capul desco-
perit, cu mîinile goale, asemenea unui zeu
vajrayanist așteptînd pregătit, însă deja vic-
torios.

„Podoabele mele au dispărut acum pentru totdeauna, nu mi-au mai rămas decît aceste veșminte de mătase, care nu se potrivesc cu viața de pustnic."

Tocmai atunci trecea pe acolo un om îmbrăcat în niște haine zdrențuite. Gautama i-a strigat:

— Haina aceea a ta îmi place foarte mult, de parcă nu ar fi murdară, așa că îți dau veșmîntul meu în schimbul ei.

Omul, pe care Gautama l-a luat drept vînător, era de fapt un pustnic religios sau rishi, un Înțelept, un *muni*. Prințul a bănuit aceasta imediat ce au făcut schimb de haine.

— Acest veșmînt nu este unul obișnuit! Nu este cel purtat de un mirean.

Apoi a plecat mai departe. Mai tîrziu i s-a făcut foarte foame. Conform străvechii tradiții, cum se dedicase unei vieți de pribeag, a cerșit pentru prima dată mîncare din ușă în ușă, umblînd printre colibele cu acoperișuri de paie ale satului. Cum fusese prinț, era obișnuit cu cele mai bune mîncăruri pregătite de bucătarii de la curte, astfel că acum, cînd a gustat din aceste merinde sărace primite de pomană, i-a venit instinctiv să le scuipe. Și-a dat seama imediat cît de lamentabilă era această purtare și s-a forțat să mănînce tot ce avea în bol. Nimic din ce i se dădea de pomană, chiar dacă era rău la gust, nu trebuia niciodată disprețuit. Viața religioasă dedicată căutării păcii supreme, care avea acea savoare unică a realității, era cel mai bun condiment. După ce își eliberase inima și spiritul de legăturile lumești, nu era acum momentul să se lege de gustul pe care îl simțea pe limbă. După ce și-a potolit foamea cu merindele acelea sărace, descurajat, dar voios, el, care purtase veșminte de mătase și ai cărui slujitori îi țineau deasupra capului o umbrelă albă, a plecat mai departe îmbrăcat în zdrențe, sub razele arzătoare ale soarelui, în singurătatea junglei.

A întrebat și a cutreierat peste tot, cău-tîndu-l pe vestitul ascet Alara Kalama, despre care auzise atîtea și care avea să fie învăță-torul său. Alara Kalama își expunea învăță-tura numită „tărîmul nimicniciei" și practica automortificarea pentru a dovedi că se elibe-rase de trup. Tînărul nou *muni* al clanului Sakya a făcut și el la fel, cu zel și energie. Mai tîrziu, el le-a povestit discipolilor lui aceste prime experiențe de automortificare.

— Îmi hrăneam trupul cu mușchi, ierburi și balegă de vacă, cu fructe sălbatice și rădă-cini din junglă, mîncînd doar fructele căzute din copaci. Purtam veșminte de cînepă și din păr, cîrpe murdare luate din capele mortuare, zdrențe din grămezile de gunoi. Mă înveleam cu piei și blănuri de animale dacă le găseam aruncate; îmi acopeream goliciunea cu smo-curi de iarbă, scoarță de copac și frunze, cu un petic din coama sau coada cine știe cărui animal, cu o aripă de bufniță. De asemenea îmi smulgeam părul și barba, luasem obice-iul acela de a-mi smulge din rădăcină firele de păr din cap și de pe față. M-am legat să stau întotdeauna în picioare, niciodată așezat sau întins. M-am jurat să stau întotdeauna numai ghemuit pe călcîie. Eram „cu un ghimpe în coastă"; cînd mă întindeam ca să mă odih-nesc, aveam mereu ghimpi în coaste – mi-am căutat refugiu într-o anumită pădure întunecoasă și înfricoșătoare și în acel loc mi-am făcut sălaș. Și pădurea aceea deasă și cumplită era așa de înfricoșătoare, că ți se făcea părul măciucă dacă intrai acolo fără a-ți stăpîni simțurile.

Timp de șase ani, împreună cu Alara Kalama și mai tîrziu cu cei cinci pustnici cerșetori de lîngă Uruvela, în Pădurea Mortificării, cel care avea să devină Buddha a practicat aceste exerciții inutile și înfiorătoare, completate de o penitență a foamei atît de severă, încît „toate mădularele mele au ajuns subțiri ca niște trestii ofilite, șoldurile precum copitele cămilei, șira spatelui asemenea unei frînghii vălurite și, așa cum se văd căpriorii acoperișului la o casă părăginită, la fel mi se vedeau și mie coastele de la atîta post. Iar cînd îmi atingeam burta, mîna mea simțea oasele de la șira spinării și, cînd îmi mîngîiam membrele, părul de pe mîini și de pe picioare, putrezit la rădăcină, îmi rămînea în palmă".

În cele din urmă, într-o zi, vrînd să se scalde în Nairanjana, a leșinat în apă și era cît pe ce să se înece. Și-a dat seama că această metodă extremă de a găsi mîntuirea nu era decît o altă formă de ignoranță demnă de milă; și-a dat seama că era reversul medaliei existenței, care pe o parte înfățișa pofta extremă, pe cealaltă postul extrem; concupiscență și ațîțare a simțurilor, pe de o parte, erodînd sinceritatea inimii, și privațiuni epuizante și extreme impuse trupului, pe de altă parte, erodînd și ele sinceritatea inimii din cealaltă direcţie a aceleiaşi acţiuni arbitrare, ce ignoră cauzele.

— Demne de milă sînt, cu adevărat, asemenea suferinţe! a strigat el cînd şi-a mai venit în fire, după ce a băut o strachină cu lapte de orez adusă de o fată care crezuse că e un zeu.

Ducîndu-se apoi la cei cinci pustnici ascetici, el a predicat în sfîrşit:

— Voi! Să dobîndiţi bucuriile cerului, încurajînd nimicirea formei voastre exterioare, suferind toate felurile de podviguri dureroase şi căutînd totuşi să căpătaţi încă o naştere – căutînd o naştere în cer, pentru a îndura şi alte necazuri, avînd viziuni ale bucuriei ce va să vină, în timp ce inima vi se stinge, slăbită... Ar trebui prin urmare să caut mai degrabă tăria trupului, bînd şi mîncînd pentru a-mi întrema mădularele, odihnindu-mi spiritul cu mulţumire. Odată spiritul meu odihnit, mă voi bucura în linişte de autocontrol. Autocontrolul este capcana pentru a atinge extazul; în vreme ce eşti în extaz sesizezi legea cea adevărată, după care urmează eliberarea. Doresc să scap de cele trei lumi – pămîntul, cerul şi iadul deopotrivă. Legea pe care o practicaţi o moşteniţi de la faptele unor învăţători de odinioară, dar eu, dorind să stric toate îmbinările, caut o lege care nu cunoaşte nici un astfel de accident. Şi, prin urmare, nu mai pot întîrzia mult în acest crîng cu vorbe zadarnice.

Cerşetorii au fost şocaţi şi au spus că Gautama se lăsase păgubaş. Dar Sakyamuni, numind metoda lor „încercarea de a lega aerul nod", a încetat să mai fie un _tapasa_

care se chinuia singur, devenind un rătăcitor
paribbijaka.

În călătoriile lui, a auzit despre suferința
tatălui său, încă îndurerat după șase ani, și
inima lui blîndă a simțit o iubire și mai mare.

— Dar, i-a spus el celui de la care aflase
aceasta, totul este asemenea unui vis, care
se risipește pe dată... Să îi iubești pe cei
de-un sînge cu tine, să fii legat mereu, să ți
se slăbească legăturile mereu – cine poate
să plîngă destul asemenea dezuniri? Toate
lucrurile care există în timp trebuie să piară...
Pentru că, așadar, moartea pătrunde în tot
timpul, dacă scapi de moarte timpul va
dispărea... Voiți să mă faceți rege... Gîndind
cu neliniște la forma exterioară, spiritul se
molesește... Palatul minunat și somptuos
împodobit îl privesc ca fiind cuprins de flă-
cări; cele o sută de feluri de bucate alese ale
cuhniei divine, drept amestecate cu otrăvuri
nimicitoare. Și Regii cei glorioși, scîrbiți și
mîhniți, știu că daraverile cîrmuirii unui regat
nu pot fi asemuite cu tihna unei vieți religi-
oase. Scăparea se înfiripă din liniște și tihnă.
Regalitatea și salvarea, mișcarea și tihna nu
pot fi unite. Spiritul meu nu este nesigur;
rupînd cîrligul ce mă țintuia cu momeala
legăturilor, cu o hotărîre neprefăcută, am
plecat de acasă.

— Urmați legea pură a abnegației, le-a
predicat el pe drum altor pustnici. Chibzuiți
la ceea ce s-a spus în vechime. Păcatul este
pricina suferinței.

Marele Asvaghosa îl descrie pe Buddha,
în această etapă:

Cu pasul egal și nepăsător, el intra în oraș și cerșea de-ale gurii, cum făceau toți marii pustnici, cu înfățișarea voioasă și spiritul netulburat, deloc îngrijorat că i se oferă mult sau puțin de pomană; orice primea, scump sau sărăcăcios, el punea merindele în strachină, apoi se întorcea în pădure și, după ce mînca și bea apă de la izvor, se așeza voios pe muntele fără pată.

Și le vorbea regilor și îi convertea.

— Bogăția unei țări nu înseamnă o vistierie mereu plină, ci ceea ce se dă din milă, i-a spus el regelui Bimbisara al Magadhei, care venise la el în pădure pentru a-l întreba de ce ar renunța la foloasele domniei un om de os regesc. Mila se risipește, dar nu aduce nici o părere de rău.

Dar regele voia să știe de ce un înțelept, care cunoștea aceste porunci prețioase referitoare la domnie, ar renunța la tron și s-ar lipsi de plăcerile vieții la palat.

— Mă tem de naștere, bătrînețe, boală și moarte, astfel că încerc să găsesc o cale sigură de eliberare. Așa că mă tem de cele cinci dorințe – dorințele legate de văz, auz, gust, miros și atingere –, hoții schimbători, care le fură oamenilor cele mai alese comori ale lor, făcîndu-i să fie închipuiți, prefăcuți și schimbători – marile piedici, încurcînd mereu calea spre pace. Dacă bucuriile cerului nu merită dobîndite, ce să mai spun de dorințele oamenilor, cele care stîrnesc setea de iubire sălbatică și apoi se pierd în plăcere. Asemenea unui rege care domnește peste tot ce se întinde între cele patru mări, dar continuă să caute dincolo de ele ceva mai mult, la fel este și dorința, pofta trupească; asemenea oceanului nemărginit, ea nu știe cînd și unde să se oprească. Dacă te lași puțin pradă poftei trupești, aceasta va crește iute, asemenea unui copil. Înțeleptul care înțelege amărăciunea durerii stîrpește și înăbușă răscoalele dorinței. Ceea ce lumea numește virtute este o altă formă a legii suferinței. Amintindu-și că toate sînt amăgitoare, înțeleptul nu tînjește la ele; acela care dorește asemenea lucruri dorește suferință. Înțeleptul aruncă apropierea suferinței ca pe un os putred. Ceea ce înțeleptul nu voiește regele va trece prin foc și prin apă pentru a dobîndi, străduindu-se pentru bogăție ca și pentru o bucată de carne putredă. În ce privește bogățiile: înțeleptului nu îi place să adune bogății, iar mintea să i se umple de gînduri neliniștite, păzindu-se zi și noapte, asemenea unui om care se teme de un dușman puternic. Ce urzeli dureroase țes oamenii ca să pună mîna pe bogății, greu de dobîndit, ușor de risipit, ca și ceea ce capeți în vis; cum poate înțeleptul să adune așa nimicuri! Asta îl face pe om să fie josnic, șfichiuindu-l și îmboldindu-l cu o durere pătrunzătoare; pofta trupească îl înjosește pe om, îi răpește orice speranță, în timp ce trupul și sufletul lui se frămîntă toată noaptea. Este asemenea peștelui care rîvnește la momeala din cîrlig. Lăcomia caută ceva care să o satisfacă, dar durerea nu se risipește de tot; căci, tînjind să astîmpărăm aceste dorințe, nu facem decît să le sporim. Iar după o vreme durerea revine.

Chiar dacă un om are zece mii de griji, cu
ce îl ajută asta, căci nu facem decît să adu-
năm în noi neliniști. Pune dar capăt durerii,
astîmpărîndu-ți dorința, oprindu-te de la munca
încordată, aceasta este odihna.

Dar regele Bimbisara nu a putut să nu
remarce, așa cum făcuse și Kandaka, că prin-
țul clanului Sakya era prea tînăr pentru a
renunța la lume.

— Tu spui că, atunci cînd e tînăr, omul
ar trebui să fie vesel și abia la bătrînețe să
fie religios, dar eu gîndesc că nestatornicia
bătrîneții aduce cu ea pierderea puterii de a fi
religios, spre deosebire de dîrzenia și puterea
tinereții.

Bătrînul rege a înțeles.

— Nestatornicia este marele vînător, bătrîne-
țea e arcul și boala, săgețile, pe cîmpiile
vieții și morții ea vînează ființe ca și cum ar
vîna căprioare; cînd prinde prilejul, ne ia
viața; și atunci cine mai așteaptă bătrînețea?

În ce privește fermitatea religioasă, el l-a
sfătuit pe rege să se ferească de practica
sacrificiilor.

— Să distrugi viața pentru a cîștiga merit
religios, ce iubire poate să aibă un astfel de
om? Chiar dacă răsplata unor astfel de
sacrificii ar fi de durată, chiar și pentru
asta, un masacru ar fi scandalos; cu atît
mai mult atunci cînd răsplata este trecă-
toare! Cei înțelepți se feresc să distrugă
viața! Răsplata viitoare și roadele promise,
acestea sînt diriguite de legi trecătoare și
schimbătoare, asemenea vîntului sau pică-
turii de rouă care este scuturată de pe firul
de iarbă; prin urmare, astfel de lucruri eu

le îndepărtez de mine și caut adevărata eliberare.

Regele și-a dat seama că era mai important să înțeleagă decît să aibă avere, deoarece prima venea înaintea celeilalte. S-a gîndit: „Dacă voi respecta legea, nu mai rămîne prea mult timp pentru înțelegere". A devenit un monarh luminat și un susținător pe viață al lui Gautama.

Gautama a purtat discuții savante cu pustnici din pădure. Pe Arada Udarama l-a întrebat:

— În ceea ce privește bătrînețea, boala și moartea, cum se poate scăpa de acestea?

Pustnicul a răspuns că, dacă „eul" era purificat, eliberarea urma imediat. Aceasta era învățătura străveche despre Sufletul Nemuritor, „Purușa", sau Atman, Sufletul Suprem care trece de la o viață la alta, devenind din ce în ce mai pur sau din ce în ce mai puțin pur, scopul său suprem fiind sufletul pur din cer. Dar, cu inteligența lui sfîntă, Gautama și-a dat seama că acest „Purușa" nu era cu nimic mai bun decît o minge ce sare încoace și încolo în funcție de circumstanțe concurente, fie în cer, fie în iad, fie pe pămînt, și, atît timp cît se susținea această viziune, nu se puteau evita cu adevărat nașterea și distrugerea prin naștere. Nașterea oricărui lucru înseamnă moartea acelui lucru: iar asta înseamnă descompunere, oroare, schimbare, durere.

Gautama a spus:

— Tu spui că, dacă „eul" este curățit, adevărata eliberare urmează fără întîrziere; dar, dacă întîlnim o îmbinare a cauzei și efectului, atunci ne lovim iar de piedicile nașterii; așa

cum germenul din sămînță, atunci cînd pămîn-
tul, focul, apa și vîntul par să fi distrus în
el principiul vieții, va reveni totuși la viață
atunci cînd va întîlni împrejurări prielnice,
fără nici o pricină clară, ci numai datorită
dorinței și numai ca să moară din nou, la fel
și aceia care au dobîndit această presupusă
eliberare, păstrînd astfel ideea de „eu" și de
ființe, de fapt nu au dobîndit nici o eliberare
finală.

Tînărul sfînt, care se apropia acum de
momentul de perfecțiune al înțelepciunii și
compasiunii sale, a văzut toate lucrurile,
oameni ce stăteau în crînguri, copacii, cerul,
tot felul de viziuni despre suflet, tot felul de
euri, ca pe un vid unificat în aer, o floare
imaginară, a cărei semnificație era unitatea
și indivizibilitatea, toate din același material
oniric, universal și pur.

El a văzut că existența era asemenea lumi-
nii unei lumînări: lumina lumînării și stin-
gerea luminii lumînării erau același lucru.

A văzut că nu era deloc necesar să se
conceapă existența vreunui Suflet Suprem,
ca și cum a-i predica entitatea unei mingi,
ai face-o să sară încoace și încolo în funcție
de vînturile Marșului imaginar și aspru al
lucrurilor, toate acestea fiind o dezordine cre-
ată mental, ca și cum cineva care ar visa
și-ar continua coșmarul în mod voit, sperînd
să scape de dificultățile înspăimîntătoare
despre care nu își dă seama că există doar
în mintea lui.

Gautama a văzut pacea nirvanei lui Buddha.
Nirvana înseamnă stingere, ca și cum ai
stinge o lumînare suflînd în ea. Dar, deoarece

nirvana lui Buddha este dincolo de existență și nu concepe nici existența, nici nonexistența luminii unei lumînări, a unui suflet nemuritor sau a oricărui alt *lucru*, ea nu este nici lumina lumînării numite samsara (lumea aceasta), nici stingerea cu o suflare a luminii lumînării numite nirvana (ne-lumea), ci se află dincolo de aceste concepții arbitrar stabilite.

Nu era satisfăcut de ideea lui Arada că „eul" trebuie limpezit și purificat pentru a ajunge în cer. El nu vedea nici un „eu" aici. Nimic care să fie purificat. Iar tînjirea de a ajunge în cer nu era decît o activitate din vis. El știa că, atunci cînd erau văzute din punctul de vedere al adevăratului spirit, toate erau asemenea unor castele magice care pluteau în aer.

— Cuvintele lui Arada n-au putut să-mi meargă la inimă. Trebuie să caut o lămurire mai bună.

Gautama era pe cale să găsească această explicație. După cum a spus un scriitor ilustru: „El o căutase în om și în natură, fără a o găsi, și iată! Ea era chiar în inima lui!".

Pustnicul binecuvîntat a mers la Budhgaya. Imediat, străvechiul vis al acelor Buddha din Vechime a pus stăpînire pe el în timp ce privea nobilele crînguri de palmieri, mango și arbori-ai-zeilor, *Ficus religiosa*; în după-amiaza unduitoare, a trecut pe sub crengile lor, singur și uimit, însă avînd în inimă un fel de premoniție că aici avea să se întîmple ceva măreț. Gautama, „fondatorul" budismului, nu făcea decît să redescopere străvechea cale pierdută a lui Tathagata (Cel al lui Așa-cum-este); redeschidea picătura primordială de rouă a lumii; asemenea lebedei milei care coboară spre iazul cu lotuși și se lasă pe apă, o mare bucurie l-a copleșit la vederea copacului sub care a ales să se așeze, ca printr-un acord cu toate tărîmurile lui Buddha, și a reunit lucrurile lui Buddha care sînt ne-lucruri în vidul intuiției sclipitoare din jur, asemenea unor roiuri de îngeri și bodhisattva ce, ca miriade de fluturi, alunecau la nesfîrșit spre centrul golului, în ADORAȚIE. „Pretutindeni e aici", a intuit sfîntul. De la un om care se afla acolo, un cosaș, a făcut rost de niște iarbă curată și moale, pe care a împrăștiat-o sub copac și s-a așezat pe ea; și-a strîns picioarele sub el, nu la întîmplare, mișcîndu-le într-o parte și-n alta, ci asemenea zeului Naga, stînd cu spatele drept. „NU MĂ VOI RIDICA DIN ACEST LOC", a hotărît el în sinea lui, „PÎNĂ CE, ELIBERATĂ DE TOATE LEGĂTURILE, MINTEA MEA NU VA DESCOPERI CUM POATE FI SUPRIMATĂ SUFERINȚA".

Oasele lui puteau să putrezească și tendoanele să i se zgîrcească, iar ciorile să îi ciugulească creierul abandonat, dar acest om divin nu avea să se ridice din acest loc de pe patul său de iarbă de sub smochin pînă ce nu va fi descifrat enigma lumii. Și-a încleștat dinții și și-a împins limba în ei. Și-a îngenunchiat inteligența strălucită și și-a lăsat conștiința să alunece spre intuiția lăuntrică a înțelegerii. Cu mîinile împreunate, respirînd ca un prunc, cu ochii închiși, nemișcat și imperturbabil, el a intuit, în timp ce amurgul cobora peste platoul pe care era așezat. „Chiar dacă întreg pămînt se va

mișca și se va cutremura, locul acesta va
rămîne neclintit și statornic." Era luna mai
în India, ceasul acela al zilei numit Întoarce-
rea Vacilor de la Pășune, cînd aerul este
auriu precum grînele, cald și visător, iar toate
lucrurile și animalele respiră credință în apu-
suri de soare pline de o pace mentală natu-
rală.

S-au scris multe despre acest moment
sfînt din locul acum celebru de sub acest
Copac Bodhi sau Copac al Înțelepciunii. Nu
a fost o agonie într-o grădină, ci o beatitudine
sub acel copac; nu a fost nici o înviere, ci
anihilarea tuturor lucrurilor. În acele ore a
înțeles că toate lucrurile vin dintr-o cauză și
iau calea dezintegrării, iar astfel toate sînt
trecătoare, toate nefericite și, prin urmare și
în modul cel mai misterios, ireale.

O adiere răcoroasă și revigorantă s-a iscat
în timp ce el și-a dat seama că totul înflorise
din mintea lui, răsărind din semințele gîndi-
rii false din Temeiul Divin al Realității, și
avea în fața sa visul atît de dureros și de
întunecat. „Animalele sălbatice, liniștite și
tăcute, priveau uimite." Mintea lui Buddha
s-a umplut de tentația de a se ridica și a
pleca de acolo, renunțînd la această medita-
ție inutilă sub copaci; el și-a dat seama că
aceste tentații sînt lucrarea zeului ispitelor,
Mara, Diavolul indian, și a refuzat să se clin-
tească din loc. Creierul lui a fost străbătut
chiar și de teamă, friguri imaginare, impresia
că se întîmplă ceva în spatele lui, în spatele
ochilor lui închiși: nemișcat precum un om
care se uită la niște copii ce se joacă, el a

lăsat aceste îndoieli și tulburări să dispară din nou, asemenea unor baloane de săpun, în vidul oceanului mental, de unde se iviseră.

La căderea nopții, el se odihnea deja, liniștit și tăcut. A intrat într-o contemplație profundă și subtilă. Prin fața ochilor i-a trecut pe rînd fiecare tip de extaz sfînt. În timpul primei străji a nopții a ajuns la „percepția corectă" și și-a amintit toate nașterile lui precedente, care i-au trecut prin fața ochilor.

„Născut în locul cutare, cu numele cutare și tot așa, pînă la nașterea de acum, trecînd prin sute, mii, miriade, toate nașterile și morțile sale."

Știind cît se poate de bine că esența existenței este un singur așa-cum-este, ce naștere nu ar fi putut să-și amintească Esența Strălucitoare, Misterioasă și Intuitivă a Spiritului lui? Ca și cum el ar fi fost toate lucrurile și doar pentru că nu existase niciodată un „el" autentic, ci toate lucrurile, și astfel toate lucrurile erau același lucru, ținînd de sfera Spiritului Universal, care era Singurul Spirit din trecut, prezent și viitor.

„Nenumărate precum nisipurile Gangelui erau nașterile și morțile, de toate felurile și chipurile; apoi cunoscînd, de asemenea, legăturile lui de sînge, o mare milă s-a iscat în inima lui."

Fusese o vreme îndelungată deja sfîrșită, străvechiul vis al vieții, lacrimile tristeții cu multe mame, miriadele de tați din țărînă, eternități ale unor după-amiezi pierdute ale unor surori și frați, zorii somnoroși, scorbura insectei, instinctul lamentabil complet irosit pe vid, copleșitoarea, imensa impresie aromitoare a Epocii de Aur care s-a înfiripat în creierul lui că această cunoaștere este mai veche decît lumea.

„Sentimentul de adîncă milă a trecut, el s-a gîndit din nou la «tot ceea ce viețuiește» și la felul cum toate acestea se mișcă în cele șase părți ale ciclului vieții, fără ca nașterea și moartea să aibă vreun sfîrșit; goale toate, calpe și trecătoare precum bananierul sau ca un vis ori o închipuire."

În urechea lui Buddha, așa cum stătea, așezat în meșteșugirea sclipitoare și scînteietoare a intuiției, astfel încît lumina, asemenea unui Lapte Transcendental, strălucea orbitor în întunecimea invizibilă a pleoapelor lui închise, a răsunat liniștea invariabilă și pură a mării auzului, care suspina, spumegînd, retrăgîndu-se, în timp ce el rechema, mai mult sau mai puțin, conștientizarea sunetului, chiar dacă în sine era întotdeauna același sunet constant, doar conștientizarea lui variind și estompîndu-se, asemenea apei sărate care sfîrîie și se afundă în nisip la reflux, sunetul nevenind nici dinafara, nici dinăuntrul urechii, ci de pretutindeni – marea pură a auzului, Sunetul Transcendental al Nirvanei auzit de copii în leagăn, pe lună și în inima vuietului furtunilor, în care tînărul Buddha auzea acum o învățătură care nu înceta, o îndrumare neîntreruptă, înțeleaptă și limpede, din partea tuturor acelor Buddha din vechime care existaseră înaintea lui și a tuturor acelor Buddha ce aveau să vină. Dincolo de țîrîitul îndepărtat al greierilor se mai auzeau uneori zgomote – un ciripit involuntar al păsărilor adormite din vis, piciorușele șoarecilor-de-cîmp sau o adiere înfiorînd

copacii – care tulburau pacea Auzului său,
dar zgomotele erau doar accidentale, Auzul
primea în marea lui toate zgomotele și acci-
dentele, însă rămînea netulburat ca întot-
deauna, cu adevărat de nepătruns, și nici nu
se umplea, nici nu scădea, la fel de pur în
sine precum un spațiu gol. Sub stelele stră-
lucitoare, Regele Legii, învăluit în liniștea
divină a acestui Sunet Transcendental al
Extazului de Diamant, rămînea nemișcat.

„Apoi, în timpul celei de-a doua străji a
nopții, el a ajuns la cunoașterea Îngerilor
puri și a văzut în fața lui fiecare ființă, așa
cum ar vedea cineva chipuri într-o oglindă;
toate ființele născîndu-se iar și iar pentru a
pieri, nobile și meschine, sărace și bogate,
culegînd roadele faptelor bune sau rele și
avînd parte, ca urmare, de fericire ori nefe-
ricire."

El a văzut cum faptele rele creează motive
de regret și dorința fără nume de a alina și
a îndrepta răutățile, făcînd să apară energia
necesară pentru întoarcerea pe scena lumii:
în timp ce faptele bune, care nu generează
remușcări și nu lasă nici o bază pentru îndo-
ială, dispar în Iluminare.

„Mai mult, el a văzut toate roadele naște-
rii sub formă de animale; unele condamnate
să moară pentru a li se folosi pielea sau
carnea, altele pentru coarnele, blana, oasele
sau aripile lor; unele sfîșiate sau ucise luptîn-
du-se între ele, chiar dacă pînă atunci fuse-
seră prietene sau erau de același sînge; altele
încărcate cu poveri sau trăgînd după ele gre-
utăți mari, altele împunse ori îmboldite cu
bățul. Cu sîngele revărsîndu-se din formele

lor chinuite, însetate și înfometate – neprimind nici o alinare, luptîndu-se una cu cealaltă, neavînd nici o putere slobodă. Zburînd prin aer sau cufundate în ape adînci, însă neavînd nici un loc unde să fugă din fața morții.

Și le-a văzut pe cele renăscute ca oameni, cu trupuri ca o cloacă împuțită, trecînd mereu prin cele mai aspre suferințe, născute din pîntec ca să se teamă și să tremure, cu trup fragil, dureros la cea mai mică atingere, ca și cum ar fi tăiat cu cuțitul."

Această vale a săgeților, pe care o numim viață, un coșmar.

„Deși născuți în această stare, în orice clipă amenințați de primejdia morții, trudei și durerii, totuși căutînd iar nașterea și născîndu-se din nou, îndurînd suferința."

Piatra de moară a formelor demne de milă ale ignoranței învîrtindu-se și măcinînd la nesfîrșit.

„Apoi el i-a văzut pe cei care, fiind mai merituoși, se bucurau de paradis; erau pururea însetați de iubire, meritul lor sfîrșind odată cu sfîrșitul vieții lor, cele cinci semne prevenindu-i despre moarte. Așa cum floarea care, ofilindu-se, își pierde toate culorile strălucitoare, nu toți semenii lor care încă trăiesc, jelind, pot reuși să-i salveze pe ceilalți. Odată palatele și veselele încăperi rămase goale, îngerii singuri și părăsiți, așezați sau adormiți pe pămîntul prăfos, plîng amarnic amintindu-și de iubirile lor. Înșelați, vai! Nici un loc nu e ferit, în fiecare naștere este o suferință neîncetată!

Cer, iad sau pămînt, marea nașterii și
morții rotindu-se astfel – o roată învîrtindu-se
la nesfîrșit –, toată carnea fiind scufundată
în valurile ei, aruncată ici și colo, fără nădejde!
Astfel, cu ochii minții, a cîntărit cu grijă cele
cinci domenii ale vieții și decăderea tuturor
ființelor care se nasc. A văzut că totul e
deopotrivă gol și zadarnic! Fără nici un aju-
tor! Asemenea bananierului sau balonului de
săpun."

Ceața care acoperea pămîntul la ora 3 a
dimineții s-a ridicat împreună cu toate dure-
rile lumii. „La a treia strajă el a ajuns la
înțelegerea adîncă și adevărată. A meditat
la întreaga lume a ființelor, rotindu-se în
încîlceala vieții, născute pentru suferință:
gloatele care trăiesc, îmbătrînesc și mor,
nemăsurat de multe. Rîvnitoare, desfrînate,
neștiutoare, prinse în chingi întunecate, fără
nici o cale cunoscută către salvarea ultimă."

Ah, care era cauza acestei morți a trupu-
rilor? „Judecînd drept, el a chibzuit în sinea
sa asupra izvorului din care se iscă nașterea
și moartea."

Nașterea trupurilor este cauza directă a
morții trupurilor. Exact așa cum plantarea
semînței este cauza trandafirului aruncat la
gunoi.

Apoi, privind mai departe, de unde vine
nașterea? El și-a dat seama că ea vine din
fapte de viață săvîrșite altundeva; apoi, cer-
cetînd acele fapte, a înțeles că ele nu erau
opera unui creator, nici nu-și aveau cauza
în sine, nu erau nici existențe personale și
nu erau nici fără cauză; a înțeles că ele însele
aveau la bază un lanț de cauze, cauză după

cauză, verigi concatenate alăturîndu-se chingilor care strîng tot ceea ce este formă – formă slabă, doar ţărînă şi suferinţă.

Apoi, aşa cum cineva care rupe primul nod al bambusului descoperă că restul e uşor de separat, după ce a desluşit cauza morţii ca fiind naşterea, şi cauza naşterii ca fiind faptele, el a ajuns treptat să înţeleagă adevărul; *moartea* este rezultatul *naşterii*, *naşterea* este rezultatul *faptelor*, *faptele* sînt rezultatul *ataşamentului*, *ataşamentul* este rezultatul *dorinţei*, *dorinţa* este rezultatul *percepţiei*, *percepţia* este rezultatul *senzaţiei*, *senzaţia* este rezultatul *celor şase organe de simţ*, *cele şase organe de simţ* sînt rezultatul *individualităţii*, *individualitatea* este rezultatul *conştiinţei*. Faptele sînt rezultatul ataşamentului, faptele sînt realizate din motivul unei nevoi imaginate de care s-a ataşat o fiinţă şi în numele căreia a acţionat; ataşamentul este rezultatul dorinţei, dorinţa premerge obiceiului; dorinţa este rezultatul percepţiei, nu ţi-ai dorit niciodată ceva ce nu ai cunoscut, iar cînd ai cunoscut ceva, a fost o percepţie fie a plăcerii pe care o doreai, fie a durerii pe care o respingeai cu dezgust, acestea fiind cele două feţe ale medaliei numite dorinţă; percepţia era rezultatul senzaţiei, senzaţia că îţi arde degetul nu este percepută imediat; senzaţia a apărut din cauza contactului celor şase organe de simţ (ochi-văz, ureche-auz, nas-miros, limbă-gust, corp-pipăit şi creier-gîndire) cu respectivele obiecte ale simţirii, dat fiind că nici un deget nu e ars dacă nu a fost niciodată în contact cu flacăra; cele şase organe de simţ sînt rezultatul individualității, așa cum germenele crește, transformîndu-se în tulpină și frunză, individualitatea împărțind în șase ceea ce inițial nu a fost nici Unu, nici Șase, ci Spirit Pur, limpede precum cristalul; individuali- tatea este rezultatul conștiinței, conștiința asemenea seminței care germinează și dă naș- tere frunzei ei individuale, iar dacă nu există conștiință, atunci unde e frunza? Conștiința rezultă, la rîndul ei, din individualitate, cele două sînt strîns împletite, nelăsînd nimic în afară; dintr-o anumită cauză simultană, con- știința generează individualitate, în timp ce, din altă cauză concomitentă, individualitatea generează conștiință. Așa cum un om și barca lui avansează împreună, apa și pămîntul fiind într-o relație reciprocă, la fel și conștiința produce individualitate; individualitatea dă naștere rădăcinilor. Rădăcinile generează con- tactul celor șase organe de simț; contactul produce din nou senzație; senzația generează dorință (sau aversiune); dorința sau aversi- unea generează atașament fie față de dorință, fie față de aversiune; acest atașament este cauza faptelor; iar faptele duc din nou la naștere; nașterea cauzează din nou moarte; astfel, acest ciclu neîntrerupt cauzează exis- tența tuturor ființelor.

Iar dincolo de asta, văzînd și încheind deodată Cele Douăsprezece Înlănțuiri (Lanțul Nirdana), el a văzut că această conștiință care dă naștere individualității, împreună cu toate necazurile ei, este ea însăși rezultatul Karmei (rest de acțiune neterminată din vis), Karma vine din Ignoranță, iar Ignoranța este generată de Spirit. Karma este reprezentarea legii inexorabile, inflexibile care leagă actul de rezultat, viața aceasta de cea viitoare; karma explică tot ceea ce se referă la lumea ființelor, animale, oameni, puterea regilor, frumusețea fizică a femeilor, coada splendidă a păunilor, predispozițiile morale ale tuturor; karma este moștenirea unei ființe conștiente, pîntecul care o poartă, pîntecul la care ea trebuie să se întoarcă; karma este rădăcina moralității, căci ceea ce am fost ne face să fim ceea ce sîntem acum. Dacă un om atinge iluminarea, se oprește, își dă seama de înțelepciunea perfectă, supremă și intră în nirvana, asta se întîmplă deoarece karma lui a ajuns la sfîrșit și era în karma lui ca el să facă asta; dacă un om persistă în ignoranță, furios, nesăbuit și lacom, este deoarece karma lui nu a ajuns încă la sfîrșit și era în karma lui ca el să facă asta.

Lămurit pe de-a-ntregul, percepînd totul, ferm statornicit – așa a fost Buddha iluminat.

Distruge nașterea, astfel moartea va înceta; distruge faptele, apoi nașterea va înceta; distruge atașamentul, apoi faptele vor înceta; distruge dorința, apoi atașamentul va înceta; distruge percepția, apoi dorința va înceta; distruge senzația, apoi percepția va înceta; distruge contactul celor șase organe de simț, apoi senzația va înceta; odată cele șase porți ale organelor de simț distruse, mai mult, individualitatea și discernerea diferitor noțiuni înrudite vor înceta. Odată conștiința distrusă, individualitatea va înceta; odată individualitatea distrusă, conștiința piere; cînd conștiința încetează, energia de vis a karmei nu mai are de ce să se agațe; cînd

karma ajunge la capăt, ignoranța visării înce-
tează; odată ignoranța distrusă, atunci com-
ponentele vieții individuale vor muri: Marele
Rishi era astfel desăvîrșit în înțelepciunea sa.

Iată lista Celor Douăsprezece Înlănțuiri
Nirdana:

1. Ignoranța
2. Karma
3. Conștiința
4. Individualitatea
5. Cele șase organe de simț
6. Senzația
7. Percepția
8. Dorința
9. Atașamentul
10. Faptele
11. Nașterea
12. Moartea

Cu intuiția trezită, ignoranța era risipită;
întunericul se destrăma și se iveau zorii.
Astfel a stat Buddha lumii noastre prezente,
aprig, radios și stăpîn pe sine, cîntînd în
inima lui acest cîntec:

În multe case ale vieții am fost ținut;
Îndelung am luptat să-l găsesc pe cel
Care a făcut aceste închisori triste ale sim-
țurilor!
Dar acum, tu, constructor al acestui taber-
nacul – Tu!
Te cunosc! Nu vei mai construi niciodată
Aceste ziduri ale durerii, nici nu vei mai înălța
acoperișul
Înșelăciunilor, nici nu vei mai pune căpriori
noi pe lut;

Sfărîmată e casa ta! Iar grinda cea mare ruptă! Amăgirea i-a dat formă! Numele tău este ignoranță!
În siguranță trec acum mai departe, pentru a dobîndi eliberarea.

Astfel eliberat, în el au apărut cunoașterea și libertatea, iar el a știut că este dezrobit de renaștere și că scopul fusese atins.

Iar spre folosul lumii, el a conceput acum calea, întemeiată pe Cele Patru Adevăruri Nobile.

CELE PATRU ADEVĂRURI NOBILE

1. Viața înseamnă suferință... (întreaga existență se află într-o stare de nefericire, efemeritate și irealitate).
2. Originea suferinței este dorința ignorantă.
3. Oprirea suferinței poate fi realizată.
4. Drumul ce duce către încetarea suferinței este calea cu opt brațe.

Iar Calea Nobilă cu Opt Brațe este următoarea:

CALEA NOBILĂ CU OPT BRAȚE

1. *Opiniile corecte*, întemeiate pe cele Patru Adevăruri Nobile.
2. *Intențiile corecte* de a urma această Cale pentru a scăpa de suferință.
3. *Vorbirea corectă*, dialogul întristat și blînd cu frații și surorile din lumea aceasta.
4. *Acțiunea corectă*, o purtare blîndă, îndatoritoare, castă pretutindeni.

5. *Mijloacele de existenţă corecte*, procurarea hranei în mod inofensiv.
6. *Efortul corect*, înălţarea prin propriile puteri, prin energie şi zel, la această Cale Sfîntă.
7. *Atenţia corectă*, conştientizarea permanentă a pericolelor pe care le presupune cealaltă cale (a lumii).
8. *Meditaţia corectă*, practicarea meditaţiei şi rugăciunii solitare pentru a ajunge la extazul sfînt şi la graţia spirituală, de dragul iluminării tuturor fiinţelor conştiente (practicarea Dhyanei pentru a ajunge la Samadhi şi Samapatti).

„Atunci cînd cunoaşterea aceasta a apărut în mine, inima şi spiritul meu au fost slobozite de drogul poftelor trupeşti, al renaşterii, al ignoranţei."

Astfel a desăvîrşit el sfîrşitul „sinelui", aşa cum focul se stinge cînd nu mai sînt paie; el făcuse astfel ceea ce voia ca oamenii să facă; găsise calea cunoaşterii perfecte. Şi ştia, în timp ce stătea acolo, magnific în înţelepciunea sa, desăvîrşit în înzestrările sale, că această cale a cunoaşterii perfecte îi fusese transmisă de Nenumăraţii Buddha din Vechime care apăruseră înainte din toate cele zece colţuri ale universului, unde el i-a zărit acum, într-o viziune măreaţă, adunaţi cu toţii, strălucitori şi puternici, stînd pe tronurile lor din Magnifice Flori de Lotus, pretudineni, în toate fenomenele şi în tot spaţiul, răspunzînd mereu nevoilor vieţii conştiente din toate regnurile existenţei, trecute, prezente şi viitoare.

Odată cu înțelegerea marilor adevăruri și cu împlinirea lor în viață, rishi-ul a atins iluminarea; el a atins astfel *Sambodhi* (Înțelepciunea Desăvîrșită) și a devenit un Buddha. Sambodhi a fost numită așa pe bună dreptate, ea poate fi realizată doar prin soluții proprii, fără ajutorul unui învățător sau zeu din exterior. După cum spune poetul:

> Afară de lumina propriului suflet,
>   deasupra înălțată,
> Nimic nu îl conduce pe om, nici nu l-a
>   condus vreodată.

Razele soarelui de dimineață străluceau în zori, ceața se risipea ca praful, dispărea. Lumina slabă a lunii și stelelor a pălit, barierele nopții au fost date la o parte. El ajunsese la capătul acestei mari lecții, prima și ultima, lecția din vremuri străvechi; intrînd în marea casă a a Somnului Fără Vise, încremenit în transa sfîntă, el atinsese sursa adevărului inepuizabil, fericirea care nu se sfîrșește niciodată și care nu are început, ci care fusese acolo dintotdeauna, în interiorul Adevăratului Spirit.

Nu prin folosirea neliniștită a unor mijloace exterioare dezvăluise Buddha Adevăratul Spirit și pusese capăt suferinței, ci cufundîndu-se în tăcerea contemplativă. Aceasta este realitatea supremă a tihnei binecuvîntate.

Era *sihibhuto*, detașat.

A urmat cel mai important moment din viața Celui Binecuvîntat. După multe strădanii, el descoperise cele mai profunde adevăruri,

adevăruri pline de sens, dar care puteau fi
înțelese doar de cei înțelepți, adevăruri pline
de binecuvîntare, dar dificil de distins de un
spirit obișnuit. Oamenii aparțineau lumii și
tînjeau după plăcere. Chiar dacă posedau
capacitatea cunoașterii religioase și virtuții
și puteau înțelege adevărata natură a lucru-
rilor, se grăbeau să facă altceva și se încîl-
ceau în gînduri înșelătoare, căzînd în plasa
ignoranței, asemenea unor păpuși pe care le
pun în mișcare niște idei arbitrare, contra-
dictorii și ignorante ce nu au nimic de-a face
cu nemișcarea lor esențială și iluminată.
Puteau ei să înțeleagă legea răsplății karmei
rămase automat după fapte-vise anterioare
sau legea legăturii continue dintre cauză și
efect în lumea morală? Puteau ei să se deba-
raseze de ideea animistă a sufletului și să
înțeleagă adevărata natură a omului? Puteau
ei să învingă tendința de a căuta salvarea
prin intermediul unei caste mijlocitoare de
preoți și brahmani? Puteau ei să înțeleagă
starea finală de pace, acea potolire a tuturor
dorințelor lumești care duce la refugiul fericit
al nirvanei? Ar fi fost de dorit ca, în aceste
circumstanțe, să predice întregii umanități
adevărurile pe care le descoperise? Oare,
dacă se lovea de eșec, aceasta nu avea să
conducă la suferință și durere? Acestea erau
îndoielile și întrebările care se iveau în min-
tea lui, însă doar pentru a fi înăbușite și
stinse de gîndurile de compasiune univer-
sală. Cel ce renunțase la orice egoism nu
putea decît să trăiască pentru alții. Și care
putea fi o modalitate mai bună de a trăi pentru
alții decît de a le arăta calea către atingerea

beatitudinii totale? Ce serviciu mai mare putea fi adus omenirii decît salvarea fiinţelor chinuite cufundate în marea cea tristă a acestei lumi samsarice a durerii şi nimicurilor? Nu este oare darul Dharmei, „Legea Consacrată", limpezimea de cristal a lumii, cel mai mare dintre toate darurile? Desăvîrşitul şi-a înălţat ochii către regele copacilor, cu o privire neşovăitoare. „Legea aceasta este minunată şi aleasă", s-a gîndit el, „pe cînd oamenii sînt orbi din cauza mărginirii şi neştiinţei. Ce să fac? Chiar în clipa în care gîndesc acestea, oamenii sînt împovăraţi de rele. În neştiinţa lor, nu vor asculta legea pe care o vestesc eu şi, drept urmare, vor atrage asupra lor o pedeapsă. Ar fi mai bine să nu spun nimic. Fie să mor liniştit chiar astăzi".

Dar, amintindu-şi de precedenţii Buddha şi de dibăcia cu care, în tot felul de lumi, au învăţat diferite fiinţe să înţeleagă adevărul simplu şi desăvîrşit, a hotărît: „Nu, îmi voi dovedi şi eu iluminarea de Buddha".

În faţa lui Sariputra şi a unei ample şi respectuoase adunări de oameni sfinţi, Gautama şi-a rememorat astfel orele petrecute sub arborele-zeilor:

— În timp ce meditam astfel asupra legii, ceilalţi Buddha mi-au apărut din toate părţile, fiecare cu trupul lui, şi şi-au înălţat glasul şi au strigat: „Om! Amin, Solitarule, cel dintîi cîrmuitor al lumii! Acum, că ai ajuns la o ştiinţă neîntrecută şi meditezi la dibăcia cîrmuitorilor lumii, le repeţi învăţătura. Şi noi, fiind Buddha, vom face să apară clar cuvîntul cel mai înalt, împărţit în trei corpuri (corpul Apariţiei, corpul Beatitudinii şi corpul

Legii): căci oamenii au înclinări josnice și ar
putea ca, din neștiință, să nu creadă în «Veți
deveni Buddha». Astfel, noi vom trezi multe
Ființe Înțelepte (bodhisattva-manasattva) prin
priceperea noastră și prin încurajarea dorinței
de a vedea rezultate". Iar eu m-am bucurat
să aud vocea dulce a cîrmuitorilor oamenilor:
în veselirea sufletului meu, le-am spus sfin-
ților binecuvîntați: „Vorbele înțelepților aleși
nu sînt rostite în zadar. Voi urma și eu îndru-
mările înțelepților cîrmuitori ai lumii; cum
eu însumi m-am născut în mijlocul degradării
ființelor, am cunoscut frămîntarea din această
lume cumplită". Apoi am gîndit că venise
vremea să vestesc legea minunată și să dez-
vălui iluminarea supremă, menirea pentru
care mă născusem pe lume. În anumite
împrejurări, în anumite locuri, cîrmuitorii
apar cumva pe lume, iar după apariția lor,
ei, cu viziunea lor nețărmurită, propovădu-
iesc într-un moment sau altul o lege asemă-
nătoare. Este tare greu să descoperi legea
aceasta superioară, chiar și în miriadele de
zeci de milioane de eoni; foarte rare sînt
ființele care vor adera la legea superioară
pe care au aflat-o de la acești Buddha. Așa
cum floarea smochinului udumbara este rară,
chiar dacă uneori, în unele locuri, mai dai
peste ea, ceva plăcut vederii pentru oricine,
o minune pentru lume, inclusiv pentru zei.
Cu atît mai minunată este legea pe care o
propovăduiesc eu. Orice om care, după ce i
se prezintă aceasta pe înțelesul lui, o va
împărtăși cu bucurie și va rosti chiar și numai
un cuvînt din ea îi va cinsti pe toți Buddha.

Lepădați-vă de toate îndoielile și incertitudi-
nile în această privință: eu vă spun că sînt
Dharma-Raja, Regele Legii. Veți deveni Buddha;
bucurați-vă!

Astfel, Tathagata, Cel-Care-a-Ajuns-la-Așa-
cum-este-al-Spiritului și nu mai vede nici o
diferențiere între diversele ființe și fenomene,
cel care nu mai întreține nici un fel de con-
cepții clare despre sine, despre sinele altora,
despre multe euri separate sau un sine uni-
versal nedivizat, pentru care lumea nu mai
este observabilă altfel decît ca o apariție jal-
nică, însă care e lipsit de o concepție arbi-
trară fie a existenței, fie a nonexistenței ei,
așa cum nu te gîndești să măsori materiali-
tatea unui vis, ci doar cum să te trezești din
el; astfel Tathagata, calm și tăcut, evlavios,
înconjurat de o aură de splendoare, radiind
lumină în jur, s-a ridicat de sub Copacul
Iluminării și, cu neegalată demnitate, a pășit
singur pe pămîntul asemenea unui vis ca și
cum ar fi fost înconjurat de discipoli, gîn-
dindu-se: „Pentru a-mi împlini vechiul jurămînt
de a-i salva pe toți cei care încă nu au fost
dezrobiți, voi urma vechiul meu legămînt. Fie
ca aceia care au urechi de auzit să stăpînească
nobila cale a salvării".

Buddha s-a îndreptat spre Benares, capi-
tala lumii.

Pe drum, a dat peste un om pe care îl
cunoștea de mult, Upaka, un călugăr jainist
gol, ce, surprins de înfățișarea maiestuoasă și
împăcată a celui care tocmai își amintise sin-
gur originea lumii și care, prin redescoperirea
căii uitate, reînnoise străvechiul legămînt ce

era deja de mult timp ascuns în lume, aseme-
nea unei nestemate într-un lotus, a întrebat:

— Cine este învățătorul sub a cărui îndru-
mare te-ai lepădat de lume?

— Nu am nici un maestru, a răspuns Cel
Iluminat, nici un trib preacinstit; nici un
lucru anume la care să fiu priceput; singur
am învățat doctrina aceasta, cea mai pro-
fundă dintre toate, singur am ajuns la înțe-
lepciunea supraomenească. În tot Benaresul
vor răsuna în curînd bătăile de tobă ale vie-
ții, nu este cu putință să rămîn aici – sînt
fără de nume – și nici nu caut pricopseală
sau plăcere. Ceea ce se cuvine să învețe
lumea, dar pentru care nu se găsește nicăieri
un învățător, am învățat eu acum de unul
singur și fără nici un ajutor; aceasta se
numește pe drept Înțelepciunea Desăvîrșită.
Soiul acela odios de suferințe pe care sabia
înțelepciunii le-a nimicit – iată dar ceea ce
lumea a numit, pe bună dreptate, „Cea Mai
Mare Victorie".

Și a mai spus:

— Eu nu am nici un maestru. Pentru mine
nu este pereche. Eu sînt desăvîrșitul, Buddha.
Am dobîndit pacea. Am ajuns în nirvana. Mă
duc la Benares ca să făuresc Regatul virtuții.
Acolo voi aprinde Lampa cea Strălucitoare în
folosul celor care sînt învăluiți în întunericul
gros al vieții și al morții.

— Spui că ești cuceritorul lumii? a între-
bat călugărul.

Cel Trezit a răspuns:

— Cuceritori ai lumii sînt aceia care și-au
cucerit sinele, doar aceia sînt învingători,
cei ce își stăpînesc patimile și se înfrînează

de la păcat. Eu mi-am cucerit sinele și am învins păcatul. Așadar, sînt cuceritorul lumii. Asemenea lămpii care strălucește în întuneric, fără un țel al său, luminîndu-se singură, la fel arde și lampa lui Tathagata, fără umbra sentimentului personal.

Și a mers mai departe spre Benares.

Acolo, în parcul gazelelor, Isipatana, stăteau cei cinci asceți cerșetori împreună cu care Buddha își petrecuse acei șase ani zadarnici din Pădurea Mortificării. Ei l-au văzut cum se apropie, încet, cu ochii plecați circumspect și modest, la o lungime de plug în fața lui, ca și cum ar fi arat și ar fi plantat, în timp ce mergea, semințele de ambrozie ale legii. Au rîs batjocoritor.

— Iată că vine Gautama, cel care și-a rupt primul legămînt, lepădîndu-se de practicile sihăstrești și de mortificare. Nu vă ridicați pentru a-l saluta, primiți-l cu răceală și nu-l îmbiați cu merinde, după obicei, atunci cînd vine.

Cu toate acestea, cînd Buddha s-a apropiat de ei plin de demnitate, ei s-au ridicat involuntar de pe locurile lor și, în ciuda hotărîrii luate, l-au întîmpinat și s-au oferit să-i spele picioarele și să facă tot ce ar fi dorit el. Buddha le umplea inima de venerație. Dar ei îl numeau Gautama, după numele familiei lui. Apoi, Stăpînul lor le-a spus:

— Nu îmi spuneți pe numele meu personal, căci nu se cuvine să numești astfel pe cineva care a ajuns la Sfințenie (*Arhat*). Spiritul meu e netulburat, fie că oamenii mă tratează cu respect, fie că nu. Dar nu este cuviincios ca alții să îi spună pe numele de familie cuiva

care privește toate ființele cu aceeași bună-
tate a inimii. Toți Buddha aduc salvare lumii
și, prin urmare, s-ar cuveni să fie tratați cu
respect, așa cum copiii își respectă părinții.

Apoi el le-a ținut prima lui mare predică.

Este cunoscută drept „Predica din Benares",
„Sutra Dharma-chakra-pravartana", în care
el a dezvăluit Cele Patru Nobile Adevăruri și
Calea Nobilă cu Opt Brațe și i-a convertit.
Cunoscător al adevărului suprem, de o inte-
ligență atotcuprinzătoare, Buddha le-a poves-
tit despre singura Cale adevărată, Calea de
Mijloc.

— Sînt două extreme, o, *bhikshu* (Peregrini
Religioși), pe care omul ce s-a lepădat de
lume nu se cade să le urmeze – practica
îndătinată, pe de o parte, a îngăduinței prea
mari față de sine, care este nevrednică, zadar-
nică și potrivită numai acelora orientați spre
cele lumești, și practica îndătinată, pe de altă
parte, a automortificării, ce este dureroasă,
netrebuincioasă și neprofitabilă. Nici dacă
se înfrînează de la carne sau pește, nici dacă
umblă gol, nici dacă se rade în cap, nici dacă
umblă cu părul încîlcit, nici dacă se îmbracă
în haine rupte, nici dacă se acoperă cu țărînă,
nici dacă aduce sacrificii închinate Focului –
nimic din toate acestea nu îl va curăța pe
un om care nu a scăpat de amăgiri. Mînia,
patima băuturii, îndărătnicia, habotnicia, înșe-
lăciunea, pizma, lauda de sine, bîrfa, trufia
și relele intenții – acestea înseamnă necură-
ție; cu siguranță, nu mîncarea cu carne.
O cale de mijloc, o, *bhikshu*, care ocolește
aceste două extreme, a fost găsită de Buddha –
o cale care deschide ochii și oferă înțelegere,

care duce la pacea spiritului, la cea mai înaltă înțelepciune, la deplina iluminare, la nirvana. Împrăștiați focul prin iarba deșertului, uscată de soare, bătută de vînt – flăcările furioase cine le va stinge? Așa este și focul lăcomiei și poftelor trupești, iar eu, astfel, alung aceste extreme: inima mea ține calea de mijloc. Cel care își umple lampa cu apă nu va risipi întunericul, iar cel ce încearcă să aprindă un foc cu lemn putred nu va izbuti. Cel în care sinele s-a stins este liber de poftele trupești; omul prea îngăduitor cu sine este condus de patimile lui, iar căutarea plăcerii este înjositoare și necuviincioasă. Dar îndeplinirea nevoilor vieții nu este ceva rău. Păstrarea trupului în bună sănătate este o datorie, căci altfel nu vom fi în măsură să potrivim lumina lămpii înțelepciunii și să ne păstrăm spiritul puternic și limpede.

Iar apoi Cel Atotcunoscător le-a spus vestea cea bună despre adevărul suferinței și distrugerea acelei suferințe. Cei cinci cerșetori, în frunte cu marele Kaundinya, au fost uimiți să afle că fericirea putea să vină doar prin recunoașterea durerii! Iar el le-a arătat Calea cu Opt Brațe: opiniile corecte, torța care luminează calea; intențiile corecte, călăuza; vorbirea corectă, locul de popas; acțiunea corectă, care te face să mergi doar înainte; mijloacele de existență corecte, astfel încît să nu faci rău nici unei ființe sau să îți înșeli semenii, acestea fiind hrana omului sfînt, a omului bun, a omului fericit; efortul corect, pașii făcuți de-a lungul cărării imemoriale, adesea uitată, apoi regăsită; gîndurile corecte, gînduri atente la adevărata

natură a realității, care este ca o reflecție
magică dintr-un vis, un miraj („În realitate
totul este un gol asemănător, dar voi nu
sînteți slobozi pentru realitate, o, *bikshu*?");
și meditația corectă, pacea limpede și adora-
bilă care vine pe urmele imprimate în țărînă
ale pașilor astfel făcuți.

Acesta a fost mesajul izbăvirii, vestea bună,
dulceața adevărului. Iar cînd Cel Binecuvîntat
a pus astfel în mișcare roțile adevărului și
le-a făcut să meargă înainte, o mare bucurie
a străbătut universurile.

— Cu adevărat, o, Buddha, Stăpîn al nos-
tru, tu ai găsit adevărul! a strigat Kaundinya,
văzînd și el dintr-odată cu ochii minții.

Apoi ceilalți *bikshu* i s-au alăturat și ei și
au exclamat:

— Cu adevărat, tu ești Buddha, tu ai găsit
adevărul.

Cei cinci asceți cerșetori au fost hirotoniți
și au format primul nucleu al corpului frăției
discipolilor, cunoscută drept *Sangha* (Bise-
rica). Milioane de oameni aveau să îi urmeze.
Buddha a intrat în Benares și a cerșit de
mîncare. Asemenea apei care cucerește văile
lumii deoarece știe să rămînă aproape de
pămînt, și Buddha era cuceritorul lumii
deoarece alesese rolul cel mai de jos. În ace-
lași timp, aceasta era cea mai prețioasă din-
tre învățături, Învățătura Fără Cuvinte, care
propovăduia umilința și bunătatea față de
gospodarii cumsecade din ținut care, atunci
cînd acest Stăpîn al Oamenilor, înalt și impu-
nător, venea smerit la ușa din dos cu cas-
tronașul lui de cerșetor, învățau astfel lecția
nevinovată a încrederii, văzînd-o cu ochii lor.

Apoi el a mers pînă la un copac din afara orașului, departe de drumul aglomerat, și-a pus farfuria mai încolo, s-a așezat cu picioarele sub el și a meditat, într-un extaz sfînt.

Un tînăr pe nume Yasa, fiul unui negustor foarte bogat din Benares, devenise dintr-odată dezgustat de priveliștea femeilor care dormeau în haremul său și rătăcea ca un nebun, foarte tulburat de suferințele lumii. Cei 54 de prieteni ai lui îl urmau pe cîmp, atît era de fascinant. El s-a apropiat de Buddha, strigînd:

— Vai! Ce durere! Ce primejdie!

Buddha l-a consolat. Așa cum o pînză curată absoarbe vopseaua, Yasa a absorbit învățătura conform căreia orice este supus nașterii e supus și morții. Buddha i-a arătat calea către binecuvîntarea nirvanei și și l-a făcut discipol. Văzînd că Yasa devenise *bikshu*, cei 54 de tovarăși ai lui au intrat și ei în Sangha. Cel Binecuvîntat i-a trimis pe acești 55 de noi convertiți și pe cei cinci asceți care se convertiseră primii ca misionari în diferite colțuri ale țării, pentru a propovădui religia lui universală.

— Purcedeți într-o călătorie care va fi pentru binele celor mulți și pentru fericirea lor. Purcedeți cu milă față de lume, ca să fie fericiți și zeii, și oamenii. Purcedeți cîte doi, dar fiecare avînd menirea lui. Purcedeți! Salvați și primiți. Propovăduiți Legea binefăcătoare; vorbiți-le despre viața sfîntă oamenilor orbiți de praful dorinței. Ei pier din cauză că nu știu. Propovăduiți-le Legea.

Astfel înarmați cu stăpînire de sine, solitudine copilărească și vitalitate neirosită, ei au

plecat într-adevăr să salveze lumea. Copacii
erau îmbujorați de flori, iar ceasul plin de
speranță. Ei vesteau acum drept Adevăr
Suprem ceea ce bănuiseră dintotdeauna în
secret, dar pînă atunci fără nici un mentor
precum Buddha, care să le ofere o confirmare.
Ajunsese și la ei vestea că în tot acest timp
avuseseră dreptate, ca într-un vis încheiat
cu mult timp în urmă. Floarea Sangha s-a
deschis asupra Indiei și a lumii. „Mireasma
drepților ajunge pretutindeni."

În această vreme, la Buddha a venit un
om care voia să știe dacă nu poate să stea
acasă ca neinițiat și în același timp să res-
pecte Legea. Răspunsul acestuia a fost:

— Mireanul și pustnicul sînt la fel doar
atunci cînd amîndoi au alungat gîndul la
„sine", privind la fel tot ceea ce viețuiește.

La scurt timp după aceea, Buddha a făcut
o mie de noi discipoli, convertind trei asceți
importanți care venerau focul, frații Kasyapa
împreună cu toți adepții lor. Pe Stînca Ele-
fantului de lîngă Gaya, cu minunata vale
Rajagaha întinzîndu-se în fața lor, Buddha,
profitînd de ocazie cînd s-a iscat un incendiu
de pădure la orizont, a rostit celebra Predică
a Focului („Sutra Additta-Pariyaya") în fața
celor o mie de adoratori ai focului ce odini-
oară fuseseră cu toții călugări care umblau
cu părul încîlcit.

— Toate lucrurile, o, preoților, ard. Și ce
sînt, o, preoților, toate aceste lucruri care
ard? Ochiul, o, preoților, arde; formele ard;
conștiința ochiului arde; impresiile primite de
ochi ard; și orice senzație, plăcută, neplăcută
sau indiferentă, își are obîrșia în dependența

față de impresiile primite de ochi, și ea arde.
Și cu ce ard acestea? Cu focul pasiunilor, spun
eu, cu focul urii, cu focul iubirii nebune;
cu nașterea, bătrînețea, moartea, durerea,
lamentația, nefericirea, suferința și dispera-
rea. Urechea arde, sunetele ard; nasul arde,
mirosurile ard; limba arde, gusturile ard;
trupul arde, lucrurile care pot fi atinse ard;
creierul arde, ideile ard; conștiința minții
arde, impresiile primite de minte ard; și orice
senzație, plăcută, neplăcută sau indiferentă,
își are obîrșia în dependența față de impre-
siile primite de minte, și ea arde. Văzînd
acestea, o, preoților, ființa învățată și nobilă
concepe o aversiune față de ochi, o aversiune
față de forme, o aversiune față de conștiința
ochiului, o aversiune față de impresiile primite
de ochi; și orice senzație, plăcută, neplăcută
sau indiferentă, își are obîrșia în dependența
față de impresiile primite de ochi, și față de
aceasta ea concepe o aversiune. Concepe o
aversiune față de ureche, sunete; nas, miro-
suri; limbă, gusturi; concepe o aversiune față
de trup, lucrurile care pot fi atinse; față de
creier, idei; față de conștiința minții, față de
impresiile primite de minte; și orice senzație,
plăcută, neplăcută sau indiferentă, își are
obîrșia în dependența față de impresiile pri-
mite de minte, și față de aceasta ea concepe
o aversiune. Iar prin conceperea acestei aver-
siuni, ea devine despuiată de pasiune, iar
prin lipsa pasiunii devine liberă. Iar cînd ea
este liberă, devine conștientă că e liberă. Și
știe că renașterea a ajuns la sfîrșit, că a trăit
viața sfîntă, că a făcut ce se cuvenea să facă
și că nu mai aparține acestei lumi.

Și aceasta este realitatea.

Urmat de numeroșii lui discipoli, Cel Binecuvîntat a descins în Rajagriha, capitala statului Magadha.

Acolo, regele Bimbisara, care îl întrebase inițial pe prinț despre cît este de nimerit să îți părăsești palatul pentru o viață de rătăcitor fără adăpost și apoi îl făcuse să promită că se va întoarce în Rajagriha dacă va găsi vreodată Înțelepciunea Desăvîrșită, a venit împreună cu sfetnicii lui, generali, preoți brahmani și negustori, la locul în care stătea acum Cel Cinstit de Lume, într-un crîng liniștit. Cînd regele și alaiul lui l-au văzut pe faimosul Uruvilva Kasyapa împreună cu Cel Binecuvîntat, ei s-au minunat de ce se întîmplase. Dar Kasyapa a lămurit lucrurile, prosternîndu-se la picioarele Celui Binecuvîntat, și a explicat cum, după ce văzuse pacea nirvanei, nu a mai putut să găsească încîntare în sacrificii și ofrande, „care nu făgăduiau răsplăți mai bune decît plăceri și femei", cum spune cronicarul. Căci pentru acești vechi călugări, care percepeau în mod clar nașterea drept cauză a morții și faptele dorinței drept cauză a nașterii, Buddha era asemenea celui care stă pe mal, strigîndu-i omului neștiutor purtat de curent: „Hei, tu! Trezește-te! Fluviul poate părea plăcut în visul tău, dar sub el este un lac cu vîrtejuri și crocodili, fluviul este dorința malefică, lacul este viața senzuală, valurile sînt furia, vîrtejurile sînt poftele trupești, iar crocodilii sînt femeile".

Studiind persoana și apoi predicînd legea, Buddha și-a dat seama că regele și mîndrii

lui însoţitori erau oameni care aveau bogăţii
şi putere, dar care veniseră să îl vadă din
cauză că se îndoiau foarte mult că acestea
aveau să le facă vreun bine pînă la urmă.
Cu adevărat iluminat, el le-a arătat că nu
există individ în chestiunea bogăţiei sau sără-
ciei, a iluminării sau ignoranţei, ba chiar în
a fi viu sau mort. I-a învăţat că un om nu
este decît o grămadă de compuşi.

— După ce s-a făcut o fortăreaţă din oase,
ea este acoperită cu carne şi sînge, şi în ea
sălăşluiesc bătrîneţea şi moartea, mîndria şi
autoamăgirea. Priviţi-l pe omul acesta gătit,
plin de răni, pus laolaltă, plin de planuri,
dar care nu are nici o putere, nici un sprijin.
Nu este loc pentru „eu" şi nici temei pentru
hotărnicirea lui; astfel încît toată durerea
care s-a adunat, durerile născute din viaţă şi
moarte, fiind recunoscute ca însuşire a tru-
pului şi dat fiind că acest trup nu este „eu"
şi nici nu oferă temei pentru „eu", urmează
marele superlativ, izvorul păcii nesfîrşite.
Gîndul despre „sine" dă naştere tuturor aces-
tor dureri, legînd lumea ca prin nişte frînghii,
dar, după ce ai aflat că nu există nici un
„eu" care să poată fi legat, atunci toate aceste
legături sînt rupte. Nu există într-adevăr nici
un fel de legături – ele dispar –, iar faptul
de a pricepe aceasta este eliberarea. Nu
există nici un fel de „eu", cu adevărat. Nu
există nici făptuitor, nici cunoscător, nici
stăpîn, dar există mereu această naştere şi
această moarte, asemenea dimineţii şi nopţii
ce revin mereu. Dar acum băgaţi de seamă
şi ascultaţi: cele şase simţuri şi cele şase
obiecte unite cu ele generează cele şase tipuri

de conștiință; întîlnirea ochiului și a priveliștii
dă naștere contactului și generează con-
știința vederii; întîlnirea urechii și a sune-
tului dă naștere contactului și generează
conștiința sunetului; întîlnirea limbii și a
gustului dă naștere contactului și generează
conștiința gustului; întîlnirea nasului și a
mirosului dă naștere contactului și generează
conștiința mirosului; întîlnirea trupului și a
obiectelor care pot fi atinse dă naștere con-
tactului și generează conștiința atingerii; și
întîlnirea creierului și a gîndului dă naștere
contactului și generează conștiința gîndului;
apoi urmează efectele întrețesute ale amin-
tirii. Apoi, așa cum lupa îndreptată spre iască
la amiază face să apară focul, la fel și orga-
nul de simț pus în contact cu obiectul face
să apară conștiința, iar sinele individual,
părintele conștiinței, ia naștere. Vlăstarul se
înalță din sămînță, sămînța nu este vlăstarul
și totuși nu e diferită: așa este și nașterea a
tot ceea ce viețuiește!

Auzind acest discurs despre inconstanța
sinelui, care, avîndu-și originea în senzație
și amintire, trebuie în mod necesar să fie
supus condiției încetării, regele și mulți din-
tre cei care îl însoțeau au găsit refugiu în
în cele Trei Giuvaiere (Tri-Ratna): Buddha,
Dharma și Sangha, și i-au devenit discipoli
laici. Regele l-a invitat apoi pe Cel Binecuvîntat
în palatul regal, i-a ospătat pe el și pe *bikshu*
și a oferit pentru Sangha parcul său, crîngul
de bambuși Veluvana, ca loc de sălaș pentru
discipolii fără adăpost ai Marelui Învățător.
Apoi l-a numit pe Jivaka, faimosul doctor
aflat în serviciul său, să le acorde îngrijire

medicală lui Buddha și discipolilor lui; iar acelor *bikshu* care pînă atunci purtau doar zdrențe aruncate de alții, li s-a permis să accepte niște robe galbene la insistențele acestui doctor.

Crîngul de bambuși era lîngă oraș, dar nu foarte aproape, cu multe porți și alei, ușor de găsit, calm și liniștit toată ziua, învăluit de o tăcere mistică noaptea, departe de aglomerație și de drumuri, un loc de refugiu menit concentrării netulburate a minții asupra propriei esențe pure, un decor fermecător cu grădini, arcade, săli de meditație, adăposturi, magazii înconjurate de heleșteie cu lotuși, manghieri parfumați și palmieri zvelți care se înălțau spre cer ca niște flori diafane, ca niște umbrele fluide, fantastice ale durerii vii care le aminteau călugărilor ce le priveau cum semințele, asemenea plăcerilor, tulbură echilibrul Pămîntului Fericit și izvodesc fantasme ale unor copaci care ajung pînă la cer.

Într-o zi, în Rajagriha, unul dintre primii cinci convertiți care fuseseră hirotoniți de Buddha, fostul ascet Asvajit, mergea să capete ceva de pomană, cu bolul lui de cerșit, cînd s-a întîlnit cu călugărul Sariputra, care a fost atît de izbit de aerul de fericire și demnitate al acestuia, încît l-a întrebat:

— Cine este învățătorul tău și ce doctrină propovăduiește el?

Sariputra avea un frate spiritual pe nume Maudgalyayana; cu mult timp în urmă, ei se înțeleseseră ca primul dintre ei care găsea hrana zeilor și ajungea să cunoască adevărul să îi spună și celuilalt; acum, în timp ce Asvajit

vorbea, spunînd: „Există un mare înțelept,
un fiu al clanului Sakya, care a luat calea
vieții fără adăpost; el este învățătorul meu
și doctrina lui e cea pe care o propovăduiesc",
doctrină pe care a cîntat-o prin bine-cunos-
cutele versuri:

> Toate lucrurile provin dintr-o cauză,
> Buddha a enunțat care e cauza lor
> Și care este descompunerea lor.
> Asta este ceea ce ne învață Cel Măreț,

Sariputra a știut de îndată că găsise hrana
zeilor, așa că s-a dus la Maudgalyayana și
i-a spus ce aflase. Amîndoi au ajuns la ochiul
pur al adevărului și s-au dus cu toți disci-
polii lor la Tathagata. Văzîndu-i venind pe
drum, Cel Binecuvîntat a spus:
— Acești doi oameni care vin vor fi cei
mai de seamă discipoli ai mei, unul neîn-
trecut în înțelepciune (Maudgalyayana), celă-
lalt în puteri miraculoase (Sariputra). Fiți
bine-veniți!
Scrierea diferitor părți importante din
Canonul Sacru le-a fost acum atribuită aces-
tor doi sfinți străluciți. Împreună cu toți dis-
cipolii lor, ei s-au alăturat Ordinului.
A existat un înțelept brahman putred de
bogat, Mahae Kasyapa, un preot filantrop
căruia i se dusese vestea și care tocmai
renunțase la frumoasa și virtuoasa lui soție,
la întreaga moșie și la toate bunurile sale
pentru a căuta calea salvării. Foarte tulburat,
asemenea lui Yasa, băiatul cel nestăpînit, el
a intrat în tabăra lui Buddha în toiul nopții.
— După ce te-ai bucurat de legea adevă-
rată și ți-ai dorit cu umilință o inimă pură

și credincioasă, ai înfrînt dorința de somn și
ești aici ca să-mi arăți venerație, a vorbit
blînd Buddha. Acum eu voi trece, astfel,
cu vederea îndatoririle unei prime întîlniri.
Renumit pentru faptele tale de binefacere,
acum primește de la mine binefacerea odih-
nei desăvîrșite și, pentru aceasta, împărtă-
șește regulile mele de neprihănire.

Cel Atotcunoscător dorea să potolească
tendința îndărătnică a acestui om bogat de
a se purta cu o mărinimie nenecesară, să îl
învețe în primul rînd necesara odihnă.

— Natura neliniștită și agitată a lumii,
aceasta se află la rădăcina durerii. Văzînd
truda constantă a nașterii și a morții, ar
trebui să ne străduim să ajungem la o stare
pasivă: țelul final numit Sammata, locul
nemuririi și al odihnei. Totul este gol! Nici
„sine", nici loc pentru „sine"; întreaga lume
este asemenea unei fantasme; aceasta este
calea de a ne privi pe noi înșine ca pe o
grămadă de însușiri amestecate.

Mahae Kasyapa a înțeles că nu există nici
un „eu" în privința carității.

— Acum ai văzut adevărata învățătură,
inimii tale neprihănite îi place să împartă
binefaceri; cum bogăția și banii sînt comori
schimbătoare, ar fi mai bine ca asemenea
lucruri să fie lăsate repede altora. Căci, atunci
cînd o comoară a fost arsă, oricît de prețioase
ar fi lucrurile care au scăpat de foc, înțelep-
tul, cunoscînd inconstanța lor, dăruiește cu
generozitate, săvîrșind fapte bune cu pose-
siunile care i-au rămas. Dar nesăbuitul le
păzește cu grijă, temîndu-se să nu le piardă,
ros de neliniște, chinuit în coșmarul său de

temeri închipuite că ar putea pierde „tot",
da, chiar și pe „sine" însuși. Omul milostiv
nu are nici o părere de rău, nici o teamă
chinuitoare! Iată floarea răsplății sale, iată
roadele care urmează – greu de bănuit!
Această înțelepciune duce la pacea stator-
nică, fără dependență și fără cifre. Ascultă!
Și chiar dacă ajungem la calea cea nemuri-
toare, totuși, prin binefaceri necontenite, ne
împlinim ca urmare a binefacerii dăruite
altuia. Ia aminte, dară! Că omul milostiv a
găsit pricina salvării celei de pe urmă; așa
cum omul ce răsădește un vlăstar se va
bucura de umbra, florile și roadele copacu-
lui cînd acesta va crește; rezultatul facerii
de bine este întocmai, răsplata ei fiind bucu-
ria și marea nirvana. Cînd dăm de pomană
merindele noastre, căpătăm mai multă putere,
cînd dăm de pomană veșmintele noastre,
căpătăm mai multă frumusețe; cînd găsim
locuri de odihnă religioase, culegem roadele
desăvîrșite ale celei mai înalte și mai bune
măsuri a facerii de bine, fără egoism și fără
gîndul de a căpăta mai mult; și așa inima
se întoarce și se odihnește.

Aceasta a fost predicarea a ceea ce mai
tîrziu a fost numit Dana Paramita, Idealul
Carității, unul din șase astfel de idealuri care
se potriveau cu ultimii șase pași ai Căii cu
Opt Brațe asemenea unui ornament minu-
nat. Acestea sînt Dana, Idealul Carității; Sila,
Idealul Moralității; Kshanti, Idealul Răbdării;
Virya, Idealul Vigorii; Dhyana, Idealul Medi-
tației; și Prajna, Idealul Înțelepciunii. După
ce a ascultat această predică și s-a convertit,
marele brahman a intonat acest cîntec:

Am lăsat jos povara pe care o purtam,
În mine nu mai există cauză a renașterii.
Căci niciodată gîndul la straie sau hrană
Sau la prilejul de odihnă nu afectează
    spiritul măreț,
Nemărginit al lui Gautama.
Gîtul lui este asemenea turnului împătrit
Al atenției veghind; da, marele Profet
Are credință și încredere în oamenii lui;
Deasupra, fruntea lui este intuiție;
    înțelept și nobil,
El umblă mereu într-o fericire detașată.

După moartea lui Buddha, Mahae Kasyapa
a devenit primul patriarh al Bisericii Budiste
și a organizat toate compilațiile importante
ale textelor budiste, Canonul Sacru (*Tripitaka*
sau Cele Trei Coșuri), în lipsa căruia nici
unul dintre cuvintele Celui Binecuvîntat nu
ar fi ajuns la noi, 2.500 de ani mai tîrziu.
Dar în mintea lui Buddha, Cel Trezit, anii
sînt doar o picătură de rouă.

— Linia legii are o continuitate neîntre-
ruptă. În toate direcțiile se află diferiți Buddha
care stau în picioare, mulți ca firele de nisip
ale Gangelui: și aceștia arată, pentru binele
tuturor făpturilor din lumea asta, iluminarea
superioară. Și eu însumi, de asemenea, dove-
desc acum, pentru binele făpturilor care tră-
iesc acum, această iluminare a lui Buddha,
din mii de zeci de milioane de direcții diferite.
Dezvălui legea în felurimea ei și în dispozi-
țiile făpturilor. Folosesc tot felul de mijloace
pentru a-l stîrni pe fiecare potrivit firii sale.
Căutați, dară, să pricepeți misterul acestor

Buddha, sfinții Stăpîni ai lumii; lepădați-vă de orice îndoială: veți deveni Buddha; bucurați-vă!

După convertirea lui Mahae Kasyapa, Gautama Sakyamuni a făcut cale întoarsă către ținutul în care se născuse, Gorakhpur, unde domnea tatăl lui, regele Suddhodana. Urmat de numeroșii lui Oameni ai Sfințeniei, însă avansînd cu singurătatea gravă și misterioasă a unui elefant, Gautama a ajuns la cîțiva kilometri de Kapilavastu, unde se înălța încă somptuosul palat al tinereții sale, la fel de ireal acum, în reflexia ca de oglindă a iluminării lui, ca un palat dintr-o poveste pentru copii, menit doar să îi facă pe aceștia să creadă în existența lui. Regele a aflat de sosirea lui și a venit imediat, nerăbdător și preocupat.

Văzîndu-l, el a rostit aceste cuvinte de jale:

— Iată, acum îmi văd fiul, trăsăturile lui bine-cunoscute, ca odinioară; dar cît de înstrăinată este inima lui! Nici o revărsare recunoscătoare a sufletului; stă acolo, rece și absent.

S-au uitat unul la altul, asemenea oamenilor care se gîndesc la un prieten aflat departe după ce le-au căzut din întîmplare privirile pe portretul acestuia.

Buddha a spus:

— Știu că inima regelui este plină de iubire și aducere-aminte și că, de dragul fiului său, el adaugă durerii și mai multă durere; dar acum fie ca acele chingi ale iubirii care îl leagă, făcîndu-l să se gîndească la fiul său, să slăbească imediat și să fie cu totul distruse.

Înfrînîndu-se de la gîndurile de iubire, fie ca
mintea ta liniștită să primească de la mine,
fiul tău, o hrană religioasă cum nici un fiu
nu i-a mai oferit pînă acum tatălui său; iată
darul pe care ți-l fac, rege, tată. Acum îi ofer
regelui calea superlativă a fericirii nemuri-
toare; din adunarea faptelor purcede moar-
tea; răsplata este rezultatul faptelor. Știind
atunci că faptele dau roade, așa cum roata
urmează piciorul boului care trage căruța,
cît de sîrguincios ar trebui să te lepezi de
faptele lumești! Cît de atent ca faptele tale
pe lumea asta să nu fie decît bune și blînde!
Dar nu de dragul unei nașteri cerești ar tre-
bui să săvîrșești fapte bune, ci pentru ca, zi
și noapte, pe drept cuvînt eliberat de gîndu-
rile lipsite de bunăvoință, iubind la fel de
mult tot ceea ce viețuiește, să te poți strădui
să te lepezi de toată încîlceala minții și să
practici contemplația tăcută; doar așa ai de
cîștigat în cele din urmă, în afară de asta nu
mai există nici o realitate. Căci fii sigur!
Pămîntul, cerul și iadul nu sînt decît spumă
și clăbuci ca ale valurilor mării. Nirvana!
Aceasta este odihna supremă. Autocontrolul!
Aceasta este cea mai mare dintre toate des-
fătările. Infinit de liniștit este locul în care
înțeleptul își găsește adăpostul; nu e nevoie
de arme acolo! Nici de elefanți sau cai, care
sau soldați! Alungate, o dată pentru totdeauna,
sînt nașterea, bătrînețea și moartea. Supusă
este puterea dorinței lacome, a gîndurilor
mînioase și a necunoașterii, nimic nu mai
rămîne de cucerit în lumea întreagă!

　　După ce a aflat de la fiul lui cum să scape
de teamă și cum să evite căile malefice ale

nașterii, într-un mod de o asemenea demni-
tate și blîndețe, regele însuși și-a părăsit
domeniul regal și țara și a pătruns în flu-
xurile calme ale gîndurilor, poarta adevă-
ratei legi a eternității. Cufundat în meditație,
Suddhodana a băut rouă. Amintindu-și cu
mîndrie, noaptea, de fiul său, el a ridicat
privirea către stelele infinite și și-a dat seama
dintr-odată: „Cît de bucuros sînt că sînt viu,
pentru a venera acest univers înstelat!", apoi:
„Dar nu este vorba despre a fi viu, iar uni-
versul înstelat nu e neapărat universul înste-
lat" și și-a dat seama de stranietatea totală
și în același timp de caracterul comun al
înțelepciunii de nedepășit a lui Buddha.

Însoțit de Maudgalyayana, Cel Binecuvîntat
a vizitat-o pe femeia care îi fusese soție, prin-
țesa Yasodhara, în palat, pentru a-l lua pe
fiul lui, Rahula, ca să îl însoțească în pere-
grinările sale. Prințesa Yasodhara a pledat
pentru moștenirea băiatului, care avea acum
19 ani.

— Eu îi voi lăsa o moștenire și mai minu-
nată, a spus Buddha și l-a îndemnat pe Maud-
galyayana să îl radă în cap și să îl înscrie în
Frăția Sangha.

După asta, au plecat din Kapilavastu. În
grădini s-au întîlnit cu niște prinți Sakya,
toți veri ai lui Gautama, printre care și
verii lui Ananda și Devadatta, care aveau să
devină cel mai apropiat prieten, respectiv cel
mai mare dușman al lui. După mai mulți
ani, cînd Cel Binecuvîntat l-a întrebat pe
Ananda ce anume îl impresionase în modul
de viață al lui Buddha și îl influențase cel
mai mult să abandoneze plăcerile lumești,

dîndu-i posibilitatea de a-și înfrîna poftele senzuale tinerești, astfel încît să realizeze Esența Spiritului și strălucirea ei autopurificatoare, Ananda a răspuns cu bucurie:

— O, Stăpîne! Prima dată m-au emoționat cele 32 de semne ale excelenței din personalitatea Stăpînului meu. Ele mi s-au părut a fi atît de minunate, de blînde și de strălucitoare și limpezi precum cristalul!

Acest tînăr cu inima bună era întrecut doar de Maudgalyayana în ceea ce privește excelența învățăturii, dar această combinație de iubire aproape oarbă față de Maestru și agerime superioară și erudită era cea care îl împiedica să atingă stările de beatitudine ale unei minți constante pe care le resimțeau cei mai de jos *bikshu*, unii dintre ei fiind niște vagabonzi bătrîni și needucați precum Sunita Gunoierul, Alavaka Canibalul (care chiar fusese canibal în Atavi, înainte de iluminarea sa) sau Ugrasena Acrobatul. Lui Ananda a ajuns să i se spună Umbra, el urmîndu-l ca o umbră pe Cel Binecuvîntat, chiar și atunci cînd acesta se plimba fără țintă, pas cu pas, chiar în spatele său, întorcîndu-se atunci cînd acesta se întorcea, așezîndu-se acolo unde se așeza el. După o vreme a devenit un obicei ca Ananda să îl slujească pe Stăpînul lui, să îi pregătească locul unde se așeza sau să meargă înainte pentru a face aranjamente în orașe, făcînd cîte un gest frumos cînd era necesar, fiindu-i mereu tovarăș și însoțitor, lucru pe care Cel Binecuvîntat îl accepta tacit.

Într-un contrast acut era celălalt văr, Devadatta. Invidios și nesăbuit, acesta s-a alăturat Ordinului sperînd să învețe grațiile

transcendentale Samapatti, care urmează
celei mai înalte meditații sfinte, astfel încît
să le poată folosi drept magie puternică, chiar
împotriva lui Buddha, dacă era necesar, pen-
tru a-și pune în aplicare planurile de a fonda
o nouă sectă. Grațiile Samapatti includ tele-
patia transcendentală. Avariția malefică a lui
Devadatta nu a ieșit la iveală în acea primă
întîlnire din grădinile din Gorakhpur. Privind
toate ființele drept viitoare Buddha, la fel de
demne de iubit, la fel de goale, pentru Cel
Binecuvîntat nu prea conta ce zace în inima
lui Devadatta în momentul hirotonirii. Chiar
și mai tîrziu, după ce Devadatta atentase la
viața lui, după cum vom arăta mai jos, Cel
Slăvit a binecuvîntat cu toată bunătatea inima
acestuia.

Învățătorul și discipolii lui au plecat în
Rajagaha, unde au fost întîmpinați de un
negustor putred de bogat, Sudatta, supranu-
mit Anathapindika datorită carității sale față
de orfani și săraci. Acest om tocmai cum-
părase la un preț enorm magnificul parc
Jetavana de la un prinț și construise o
mănăstire splendidă cu 80 de chilii și alte
locuințe cu terase și băi, pentru Buddha și
discipolii lui hirotoniți. Cel Binecuvîntat i-a
acceptat invitația și s-a stabilit acolo, chiar
lîngă marele oraș Sravasti. În timpul sezo-
nului ploios se întorcea în Rajagaha, rămînînd
în mănăstirea din crîngul de bambuși.

El își petrecea majoritatea timpului în soli-
tudinea pădurii; ceilalți călugări se țineau la
o parte, practicînd și ei meditația, urmînd
exemplul tăcerii pline de iubire extraordinară
ce emana din acea parte a pădurii în care

Buddha stătea umil pe un tron de iarbă, suferind îndelung sub copacul răbdător ce îl adăpostea. Uneori, această viață era plăcută („Pădurile sînt încîntătoare; acolo unde lumea nu găsește încîntare, cei lipsiți de pasiuni găsesc încîntare, căci ei nu caută plăceri"); alteori nu era plăcută:

— Rece, stăpîne, este noaptea de iarnă, cîntau călugării. Vine vremea înghețului; pămîntul este încremenit în forma urmelor copitelor de vite; așternutul de frunze e subțire, iar mantia galbenă e ușoară: vîntul suflă tăios.

Dar acești oameni se dezmeticiseră și se treziseră, ca și străbunii lor, sfinții din îndelungata tradiție a Indiilor, la incomparabila demnitate a cunoașterii faptului că există și lucruri mai rele decît tăunul care înțeapă, șarpele ce se furișează, ploaia rece de iarnă sau vîntul pîrjolitor al verii. După ce scăpase de suferința poftelor trupești și împrăștiase norii și cețurile dorinței senzuale, Buddha accepta orice fel de mîncare, bună sau rea, orice primea, de la bogați sau de la săraci, fără deosebire, iar după ce își umplea bolul cu care cerșea, se întorcea în solitudine, unde medita la rugăciunea lui pentru eliberarea lumii de suferința ei animalică și de faptele sîngeroase neîncetate ale morții și nașterii repetate, de războaiele ignoranței, de uciderea cîinilor, de povești, nebunii, de părinții care îi bat pe copii, de copiii ce chinuie copii, de iubitul care își distruge iubita, de tîlharul ce îl jefuiește pe avar, de mitocanii pofticioși, înfumurați, nebuni, sălbatici și însetați de sînge, de și mai mult sînge, idioți iremediabili

alergînd prostește prin osuarele create de ei
înșiși, zîmbind afectat, simple chinuri și apa-
riții onirice, o fiară monstruoasă revărsînd
forme dintr-un preaplin, totul îngropat în
întunecimea nepătrunsă, cîntînd speranța
optimistă care nu poate fi decît dispariția
completă, inocentă în fond și lipsită de orice
urmă a unei naturi proprii; căci, în cazul în
care cauzele și condițiile nebuniei ignorante
a lumii ar fi înlăturate, natura non-ignoranței
sale non-nebune ar fi revelată, asemenea
copilului zorilor ce pătrunde în cer prin dimi-
neața din lacul spiritului, Spiritul Pur, Ade-
vărat, sursa, Esența Desăvîrșită Originară,
strălucirea goală, divină prin natura ei, sin-
gura realitate, imaculată, universală, eternă,
sută la sută mentală, pe care e imprimată
toată această întunecime plină de visare, pe
care aceste forme trupești nereale apar pen-
tru ceea ce pare a fi o clipă și apoi dispar
pentru ceea ce pare a fi o eternitate.

Mii de călugări se lăsau călăuziți de Cel
Trezit și bătătoreau cărare pe urmele pașilor
lui. În ultima noapte de toamnă cu lună
plină, Cel Slăvit s-a așezat la locul lui, în
mijlocul călugărilor, sub acoperișul cerului.
Și Cel Slăvit i-a privit pe toți acei călugări
tăcuți și liniștiți, vorbindu-le astfel:

— Nici o vorbă nu este spusă, o, călugă-
rilor, de această cinstită adunare, nici un
cuvînt nu e rostit, o, călugărilor, de această
cinstită adunare, această adunare este miez
pur. De așa fel este, o, călugări, această fră-
ție a ucenicilor, că e demnă de ofrande, de
prinosuri, de daruri și omagii și este cea mai
nobilă comunitate din lume. De așa fel este,

o, călugărilor, această frăție a ucenicilor, că
un mic dar oferit ei devine măreț, iar un dar
măreț oferit ei devine și mai măreț. De așa
fel este, o, călugărilor, această frăție a uceni-
cilor, că este dificil să găsești alta asemenea
ei pe lume. De așa fel este, o, călugărilor,
această frăție a ucenicilor, că oamenii se
bucură să străbată cale lungă pentru a o
privi, măcar din spate. De așa fel este, o,
călugărilor, această frăție a ucenicilor, de așa
fel este, o, călugărilor, această cinstită adu-
nare, că există printre acești ucenici unii
călugări care sînt Cei Desăvîrșiți, care au
ajuns la sfîrșitul tuturor închipuirilor, care
au atins ținta, care și-au împlinit menirea,
au lăsat jos povara, și-au cîștigat eliberarea,
care au rupt chingile existenței și care, prin-
tr-o cunoaștere superioară, s-au izbăvit.

Iar pentru Cel Trezit de dinaintea lui și
pentru toți Buddha din toate vremurile și din
toate universurile, el s-a rugat cu Inima Marei
Dharani, centrul rugăciunii lui supreme, pen-
tru dezrobirea lumii de nașterea și moartea
ei neîncetate:

Om! O, tu, cel ce deții pecetea puterii
Ridică-ți mîna de diamant,
Nimicește,
Distruge,
Extermină.
O, tu, sprijinitorule,
Sprijină-i pe toți cei aflați în agonie.
O, tu, purificatorule,
Purifică-i pe toți cei care sînt sclavi sinelui.
Fie ca acela ce pune capăt suferinței să învingă.
O, tu, cel desăvîrșit iluminat,

Iluminează toate fiinţele conştiente.
O, tu, cel care deţii înţelepciunea şi compa-
    siunea desăvîrşite,
Dezrobeşte toate fiinţele
Şi ajută-le să devină Buddha, amin.

Pe măsură ce se răspîndea Cuvîntul des-
pre Trezire, doamnele au început să îşi taie
părul, au îmbrăcat mantii galbene, au luat
în mînă boluri de cerşit şi au venit să îl întîl-
nească pe Buddha. Nu, a spus el, „aşa cum
apa este stăvilită de un dig puternic, la fel
şi eu am ridicat un stăvilar de reguli care
nu pot fi încălcate". Dar, de vreme ce chiar
şi prinţesa Yasodhara şi devotata lui mătuşă
maternă Prajapati Gautami făceau parte din
acest grup de femei zeloase şi neînfricate,
iar Ananda, cu înfocarea lui obişnuită, la
insistenţele mătuşii lui Gautama, a interve-
nit cu atîta convingere în favoarea lor, Cel
Binecuvîntat a cedat şi aşa a luat naştere
comunitatea femeilor bhikshuni.

— Să fie supuse şi subordonate frăţiei, a
poruncit el. Chiar şi aşa, a vorbit Cel Sfînt,
primirea lor înseamnă că Legea cea Bună nu
va dura o mie de ani, ci doar cinci sute. Căci,
aşa cum, atunci cînd făinarea se abate asu-
pra unui lan de orez, lanul acela nu mai are
scăpare, la fel, atunci cînd femeile părăsesc
casa şi se alătură unui ordin, acel ordin nu
va dura mult.

Pe lîngă asta era şi premoniţia necazurilor
care au apărut după mai multe zile, cînd
Devadatta s-a revoltat şi le-a folosit pe unele
călugăriţe în urzelile lui.

Marele rege Prasenajit, care domnea în pace, dar care era și el asaltat de confuzie și de îndoială după o ceartă cu regina lui pe care o iubise foarte mult, dorind atunci să audă legea binelui și răului rostită de buzele celui Cinstit de Lumi, l-a găsit pe Buddha, s-a apropiat de el respectuos din partea dreaptă, i s-a închinat și s-a așezat.

Regelui Prasenajit, Tigrul Legii i-a spus:

— Pînă și aceia care, printr-o karma rea, s-au născut într-o castă inferioară, cînd văd un om virtuos, se pleacă în fața lui; cu atît mai mult s-ar cuveni ca un rege suveran, care, prin viețile sale anterioare, a dobîndit mult merit, să nutrească și mai multă venerație atunci cînd îl întîlnește pe Buddha. Și nici nu este greu ca o țară să se bucure de mai multă tihnă și pace în prezența lui Buddha decît dacă el nu ar trăi acolo. Acum însă, de dragul marelui domnitor, voi spune în cîteva vorbe care este legea binelui și a răului. Cel mai mult e nevoie de o inimă iubitoare! Să-i privești pe oameni așa cum îți privești singurul fiu; să nu te dedici unor învățături false, nici să te gîndești prea mult la demnitatea regească și nici să asculți vorbele mieroase ale falșilor învățători. Nici să te chinui „culcîndu-te pe un pat de cuie", ci să cugeți adînc la neseriozitatea lucrurilor lumești, să îți dai seama de nesatornicia vieții prin aducere-aminte constantă. Nici să te ridici în slăvi pe tine însuți disprețuindu-i pe ceilalți, ci să păstrezi o stare de fericire lăuntrică izvorînd din tine și să privești înainte către o fericire sporită ce izvorăște și ea

din tine. Ascultă, o, maharajahule! Tu însuți
să-ți fii felinar, să-ți fii refugiu, să nu ai nici
un alt refugiu! Legea Consacrată să-ți fie
felinarul, Legea Consacrată să-ți fie refugiul!
Vorbele rele vor fi repetate pretutindeni de
mulțime, dar sînt cîțiva care urmează îndru-
mările bune. Așa cum, atunci cînd sîntem
încercuiți din toate părțile de munți, nu există
scăpare sau loc de refugiu pentru nimeni, la
fel, în acest munte zidit din durere al bătrîne-
ții, nașterii și morții, nu există altă scăpare
pentru lume decît practicarea legii adevărate.
Toți regii cuceritori din vechime, care erau
asemenea unor zei pe pămînt, au crezut că
prin puterea lor aveau să învingă descompu-
nerea; dar după o viață scurtă și ei au dis-
părut. Privește carul tău regal; pînă și el dă
semne de oboseală și uzură. Focul eonilor va
topi Muntele Sumeru, apa cea mare a ocea-
nului se va usca, cu atît mai puțin poate
trupul nostru omenesc, care este ca o spumă
și ceva închipuit, susținut de-a lungul sufe-
rinței îndelungatei nopți a vieții prin răsfățul
bogăției, trăind leneș și în nepăsare, cum ar
putea acest trup să dureze mult pe pămînt?!
Moartea vine pe neașteptate, iar el este luat
de aici așa cum lemnul putred e luat de
torent. Cețuri dese hrănesc locul jilăvelii, vîn-
tul aprig risipește cețurile dese, razele soa-
relui înconjoară Muntele Sumeru, flăcările
cumplite zvîntă locul jilăvelii, astfel că lucru-
rile se nasc mereu încă o dată pentru a fi
nimicite. Ființa care este detașată, care nu
rămîne în urmă pe drumul legii, care se
așteaptă la aceste schimbări se eliberează
de legămintele ei, nu se îngrijește să se

mulțumească pe sine, nu este încurcată de nici una din grijile vieții, nu se preocupă de nimic, nu caută nici o prietenie, nu se apucă de nici o meserie cu multă învățătură și nici nu se rupe pe de-a-ntregul de asta; căci învățătura ei este înțelepciunea înțelepciunii nevăzute, dar care vede acel ceva care îi vorbește despre propria vremelnicie. Înțelepții știu că, și dacă te-ai naște în cer, nu poți scăpa de schimbările timpului și de cele ale sinelui, de regulile vătămătoare ale existenței, fie ea și cerească; învățătura lor este, atunci, de a ajunge la spiritul neschimbător; căci acolo unde nu este nici o schimbare, acolo e pace. Trupul neschimbător al vieții nemuritoare este dat tuturor; el este „trupul fermecat al spiritului" (*manomayakaya*); toate ființele devin Buddha, căci toate ființele devin ne-trupuri[1]; și toate ființele au fost în trecut Buddha, căci toate ființele au fost în trecut ne-trupuri; și astfel, într-adevăr, toate ființele sînt deja Buddha, deoarece toate ființele sînt deja ne-trupuri. Căci a poseda un trup schimbător este temelia tuturor durerilor. Nutrește o inimă, detestă poftele trupești; alungă starea aceasta, nu mai primi nici o durere. Căci poftele trupești înseamnă schimbare, poftele trupești înseamnă dorințe care trag fiecare în altă parte, ca doi boi care se împleticesc, poftele trupești înseamnă pierderea iubirii. Cînd un copac este mistuit de flăcări, cum pot micile păsări-surori să se adune în el? Înțeleptul, care este socotit un învățat iluminat,

---

1. *No-body*, în original, joc de cuvinte cu *nobody* – „nimeni" (n. tr.).

în lipsa acestei cunoașteri este neștiutor. Neglijarea acestei cunoașteri este greșeala vieții. Toată învățătura școlilor ar trebui centrată aici; fără ea, nu există judecată adevărată.

Auzind aceste cuvinte, regele Prasenajit s-a întors acasă și s-a împăcat cu regina lui. A devenit liniștit și voios. Învățase că lipsa credinței înseamnă a fi înghițit de marea ignoranței, iar prezența unor opinii confuze înseamnă torentul mînios al poftei senzuale; dar înțelepciunea este barca aflată la îndemînă, iar reflecția e priza sigură cu ajutorul căreia poți ajunge pe celălalt mal și găsești siguranța eternă. Dar regele Prasenajit nu era încă iluminat și nici nu credea pe deplin în Buddha, căci, în bucuria și entuziasmul lui religios, a poruncit să se oficieze ritualuri de sacrificiu, pentru a cîștiga un merit mai mare decît meritul predicii.

Cel Binecuvîntat era în Sravasti, în crîngul lui Jeta din grădinile lui Anathapindika. Mai mulți călugări, care se treziseră devreme, se îmbrăcaseră cu robele și își luaseră bolurile cu ei, au intrat în Sravasti ca să cerșească. La întoarcere, l-au căutat pe Buddha și i-au spus că se pregătește un mare sacrificiu pentru regele Prasenajit. Cinci sute de tauri, cinci sute de boi și tot atîtea juninci, capre și berbeci cu coarne rotunde au fost aduși ca să fie sacrificați, după care sclavii, slugile și meșteșugarii, amenințați cu bătaia și de frică, au făcut pregătiri, cu chipul înlăcrimat. Auzind de acest avînt ucigaș, Cel Slăvit a înțeles ca niciodată că oamenii erau rușinați și înjosiți pentru totdeauna, iar asta doar din cauza ignoranței.

— Tăierea unui animal blînd precum mielul care îți umple ciubărul cu lapte, pentru a mînca din carnea lui supusă suferinței, este rea și e un păcat, nesăbuită e mîna care ține cuțitul în golul general, menit să îl bîntuie pe măcelar pînă cînd va plăti cu mormintele sale ce vor urma unul după altul; dar, o, *bikshu*, fraților, cu atît mai mare este răul, cu atît mai mare păcatul de a lua boul cel blînd și alte animale, cu ochi nefericiți, și a-i închina beției jertfei sîngeroase și crude, penru a mai renaște încă o dată, în cerurile sinelui și durerii. Orice ar sacrifica un om în această lume ca ofrandă sau ca datorie pentru un an întreg, pentru a cîștiga merite, toate acestea nu fac nici cît o ceapă degerată. Toate făpturile tremură în fața pedepsei, toate făpturile iubesc viața; nu uita că ești asemenea lor, nu ucide și nici nu provoca măcel. Cel care, căutînd propria fericire, pedepsește sau ucide făpturi care tînjesc și ele după fericire nu va găsi fericirea după moarte. Un om nu este religios deoarece rănește făpturi vii; ci, pentru că are milă de toate făpturile, este un om numit religios. Căutînd noi înșine scăparea de suferință, de ce am impune-o altora? Dacă nu îți poți stăpîni mintea așa încît chiar și numai gîndul la răutatea brutală și ucidere să fie respingător, nu vei putea să scapi niciodată de robia suferinței. Călugării neprihăniți și plini de rîvnă și Ființele Înțelepte, atunci cînd merg pe o cărare îngustă, nici măcar nu calcă pe iarba crescută alături de cărare. Numai asemenea *bhikshu* adevărați și sinceri, care și-au plătit datoriile karmice ale vieților anterioare, vor

ajunge la adevărata eliberare și nu vor mai
fi siliți să rătăcească în această lume întreită
a simțului, contactului și suferinței. Cum
poate un om religios, care nădăjduiește să
devină un eliberator al altora, să trăiască el
însuși sau să obțină viața de apoi prin carnea
altor ființe simțitoare? Astfel că toți oamenii
devotați trebuie să bage de seamă să trăiască
în cinste deplină, înfrînîndu-se chiar și de la
aparența de cruzime față de viața altcuiva.

Auzind aceste cuvinte, aflînd că Buddha
considera sacrificiul doar un măcel lamenta-
bil, regele s-a întors, a venit la Cel Sfînt și,
după schimbul obișnuit de saluturi și gesturi
de prietenie și curtoazie, s-a așezat la o parte.
Astfel așezat, i-a spus Celui Sfînt:

— Maestrul Gautama nu pretinde nici el
a fi desăvîrșit și suprem iluminat?

— Dacă există cineva, sire, căruia să îi
poată fi atribuită pe drept cuvînt o astfel de
iluminare, eu sînt acela. Cu adevărat, sire,
eu sînt desăvîrșit și suprem iluminat.

— Dar, maestre Gautama, există sihaștri
și brahmani care, ca și tine, au fiecare pro-
priul ordin de discipoli, adepții lor care îi
însoțesc, teoreticieni bine-cunoscuți și repu-
tați, foarte respectați de oameni. Acum, ei,
cînd le-am pus aceeași întrebare, nu au pre-
tins că au ajuns la iluminarea desăvîrșită și
supremă. Cum se poate una ca asta? Căci
maestrul Gautama este tînăr ca ani și un
novice în viața religioasă.

— Există patru tinere făpturi care nu tre-
buie disprețuite pentru că sînt tinere, a răs-
puns Buddha. Care sînt cele patru? Un prinț
nobil. Șarpele. Focul. Călugărul. Da, sire,

aceste patru tinere făpturi nu trebuie dispre-
țuite pentru că sînt tinere.

Acestea fiind spuse, regele Prasenajit i-a
vorbit astfel Celui Slăvit:

— Minunat, Stăpîne, minunat! Așa cum
un om ar ridica în picioare ceea ce a fost
dărîmat, ar dezvălui ceea ce este ascuns, i-ar
arăta drumul cel bun celui care s-a pierdut
sau ar aduce un felinar în întuneric, pentru
ca acei ce au ochi să poată vedea formele
exterioare – la fel, Stăpîne, mi-a fost făcut
cunoscut adevărul în mai multe chipuri de
către Cel Slăvit. Fie ca Cel Slăvit să mă îngă-
duie ca discipol, ca pe unul care, de acum
și cît va dura viața, și-a găsit refugiu aici.

Iar acest rege și-a ținut cuvîntul și a îmbă-
trînit împreună cu Buddha, cît le-a mai rămas
de trăit.

Felul în care Cel Iluminat își petrecea de
obicei ziua era foarte simplu. După ce se
trezea, în zori, se spăla și se îmbrăca fără
ajutor. Apoi medita în solitudine, pînă cînd
venea vremea să își facă rondul pentru a
cerși hrana zilnică, fără de care nu ar fi putut
să continue să trăiască și să practice Dharma.
Cînd se făcea vremea, cu bolul într-o mînă,
singur sau însoțit de unii discipoli, Buddha
mergea în orașul sau satul din apropiere.
După ce mînca într-o casă, vorbea gazdei și
familiei lui despre Dharma, cu respectul cuve-
nit pentru capacitatea lor de iluminare spi-
rituală, se întorcea la rogojina lui sau, dacă
era anotimpul ploios, la locuința lui și aștepta
pînă cînd toți discipolii lui terminau de mîn-
cat. Le vorbea călugărilor și sugera subiecte
de gîndire, le dădea exerciții de meditație

potrivite nivelului lor de desăvîrșire sau le
reamintea în cele din urmă că încetarea tutu-
ror gîndurilor și ideațiilor, vindecarea minții
de gînduri și de însăși gîndul la gînduri repre-
zintă practica ce conduce la nirvana. În
arșița zilei indiene, se odihnea puțin, întins
pe partea dreaptă, în postura leului, punînd
un genunchi peste celălalt și capul pe mînă,
postura tradițională pe care o recomanda
pentru somn și din cauza căreia era numit
uneori Leul Clanului Sakya; dar în această
odihnă de amiază el nu dormea, nici nu prac-
tica o meditație sistematică, ci mai degrabă
se odihnea pur și simplu și cugeta la odihnă.

   După-amiaza se întîlnea cu oamenii din
satele sau orașele învecinate într-o sală sau
într-un crîng umbros, îi compătimea, îi sfă-
tuia și le vorbea în conformitate cu nevoile
lor individuale și capacitățile lor de gîndire.
În acest sens, de exemplu, cînd femeia Visakha
s-a așezat pe o parte, plîngînd, în timpul
uneia din aceste întîlniri, deoarece nu putea
suporta pierderea nepoatei ei care tocmai
murise, Cel Binecuvîntat a întrebat-o cîți
oameni trăiau în Sravasti.

   — Stăpîne, oamenii spun că sînt de șapte
ori zece milioane.

   — Dacă toți aceștia ar fi precum nepoata
ta, nu i-ai iubi?

   — Fără îndoială, Stăpîne.

   — Și cîți mor în fiecare zi în Sravasti?

   — Mulți, Stăpîne.

   — Atunci nu există nici un moment în
care tu să nu jelești pentru cineva!

   — Adevărat, Învățătorule.

— Atunci ți-ai petrece viața plîngînd zi și noapte?

— Pricep, Stăpîne; foarte bine spus!

— Atunci nu mai jeli.

La sfîrșitul zilei, după ce se revigora cu o baie atunci cînd era necesar, Buddha le explica unora dintre discipoli dificultățile expunerii doctrinei, arătîndu-le tehnicile psihologice potrivite pentru a face ca toate tipurile de oameni, cu mentalitățile lor diferite, să înțeleagă unicul vehicul al Legii în multiplele sale manifestări.

— Dovedind dibăcie, toți Buddha arată diverse vehicule posibile, indicînd totodată unicul vehicul-Buddha, locul suprem de odihnă binecuvîntată. Dat fiind că ei cunosc purtarea tuturor muritorilor, cu dispozițiile lor aparte și faptele lor din trecut, toți acei Buddha care folosesc diferite mijloace de a-i deștepta pe toți după firea lor le împărtășesc acestora luminile lor. Aceasta este puterea cunoașterii lor.

Petrecîndu-și astfel prima strajă a nopții învățîndu-i și uneori vorbind cu ceilalți călugări, atunci cînd ajungea în mijlocul lor, venind din întunericul de afară și întrebînd: „Despre ce vorbeați acum, călugărilor, ce a venit să vă tulbure acum, călugărilor?", Buddha își petrecea restul serii umblînd într-o parte și-n alta sau pe veranda lui deschisă și meditînd, în timp ce Ananda îl urma întotdeauna ca o umbră.

— Dacă un om se prețuiește pe sine, să se vegheze cu grijă; măcar în una din cele trei străji, înțeleptul ar trebui să stea de strajă.

Apoi dormea.

„Stînd singur, întins de unul singur, mer-
gînd singur fără încetare și cucerindu-se pe
sine însuși de unul singur, fie ca omul să fie
fericit lîngă marginea pădurii" – iată zicala
din *Dhammapada*, Pașii Legii.

Fîntînarii duc apa oriunde voiesc ei;
armurierul îndoaie săgeata; tîmplarul îndoaie
o bucată de lemn, oamenii buni se modelează
singuri. (*Dhammapada*)

Într-o zi, Ananda i-a cerut Celui Bine-
cuvîntat sfatul în privința modului în care
trebuie să te comporți în prezența femeilor.

— Ferește-te din calea lor, Ananda.

— Dar dacă ele se apropie de noi, Stăpîne
Binecuvîntat?

— Nu le vorbi, Ananda.

— Dar dacă ne pun o întrebare, Stăpîne
Binecuvîntat?

— Atunci fii cu mare băgare de seamă,
Ananda.

Iar apoi Cel Sfînt a spus:

— Cu toate acestea, atunci cînd ești nevoit
să le vorbești femeilor, socotește-le mame,
dacă sînt bătrîne, iar dacă sînt tinere, tra-
tează-le ca pe niște surori.

S-a întîmplat ca unei doamne pe nume
Amra, o curtezană foarte frumoasă care pri-
mise mari sume de bani de la negustori
bogați din Vaisali, să îi vină ideea de a-și
oferi casa grandioasă și crîngul de manghieri
Maestrului și Frăției. Era grațioasă, plăcută,
cu pielea ca un trandafir tînăr, foarte price-
pută la dans și cîntat din voce și lăută; acum,

în ciuda faptului că poseda aceste bunuri de cel mai mare preț pentru femei, ea dorea să își închine viața legii religioase. I-a trimis un mesaj Celui Binecuvîntat, oferindu-și casa și grădinile pentru a fi folosite de el, iar acesta a acceptat cu grație.

Într-o zi, pe cînd stătea în crîngul de manghieri, el a primit încă un mesaj de la doamna Amra, care solicita o audiență; el a fost de acord.

— Această femeie, le-a spus el discipolilor lui adunați acolo, în timp ce o vedeau cum se apropie, străbătînd grădina împreună cu servitorii ei, este cu adevărat deosebit de frumoasă, în stare să ia mințile oamenilor religioși; acum însă nu vă lăsați aducerea-aminte să se piardă! Faceți așa încît înțelepciunea să vă stăpînească în continuare mintea! E mai bine să cazi în gura tigrului aprig sau sub cuțitul ascuțit al călăului decît să locuiești cu o femeie și să stîrnești în tine gînduri senzuale, ajungînd astfel prins în urzelile ei – nașterea, capcana morții. O femeie este dornică să își arate forma, fie că merge, stă în picioare, stă întinsă sau doarme. Bărbații sînt bărbați, așa că nu scapă de poftele trupești, de acțiunea acelei karma a lăcomiilor din trecut și de gîndurile înclinate către plăceri trupești; femeile sînt femei, așa că sînt receptaculele neprihănite ale renașterii umane, personificate, ale mănunchiului de pofte ale cărnii bărbaților; atrași unul de altul, victimizați reciproc de karmele lor, făcuți și apoi îndepărtați reciproc de karmele lor, fără nici un „eu" care să spună *nu* în această privință, bărbații și femeile învîrt roata morții mai

departe, de dragul frămîntării, mîndriei și
fericirii. Dar ce fel de fericire este aceasta
care se căznește în van pentru satisfacerea
simțurilor cu neputință de satisfăcut! Nu
există satisfacere, nici potolire a inimii
aprinse! Vintrele tale sînt folosite și nu există
satisfacere a lor. Cupa vieții este o oroare
fără sfîrșit, ca și cum ai bea, în vis, pentru
a astîmpăra o sete dincolo de înțelegere și
ireală. Priviți cerul cel gol! Cum ar putea el,
avarul, să îl apuce în pumn? Cum ar putea
el, acel visător amorțit și bîntuit, să ciopîr-
țească și să ucidă ceea ce nu poate fi ucis?
Totul este gol pretutindeni și pentru tot-
deauna, treziți-vă! Mintea este neghioabă și
mărginită dacă ia aceste simțuri, piedici mes-
chine din vis, drept realitate; ca și cum adîn-
curile oceanului ar fi mișcate de vîntul care
face valurile să se unduiască. Și acest vînt
este ignoranța. O femeie vrea să dea renaș-
tere, stă în karma ei să se teamă să fie stearpă
și singură, însă lumea nu are mai multă
realitate decît dacă ai spune: „Este copilul
unei femei sterpe". Chiar și atunci cînd este
pictată, femeia dorește cel mai mult să pro-
voace lingușirea frumuseții ei și, astfel, să le
fure bărbaților inima lor statornică. Cum ar
trebui, atunci, să vă păziți? Privind lacrimile
și zîmbetele ei ca pe niște dușmani, forma
ei încovoiată, brațele atîrnînd și părul des-
pletit ca pe niște chinuri menite să prindă
în capcană inima bărbatului. Cu atît mai
mult ar trebui atunci să fiți bănuitori față
de frumusețea ei studiată și erotică; atunci
cînd ea își arată boiul delicat, formele dichi-
site și pălăvrăgește vesel cu bărbatul nesăbuit!

Ah, ce tulburare și ce gînduri rele, atunci, nevăzînd sub forma înfiorătoare și pîngărită durerile vremelniciei, necurăţenia, închipui-rea! Socotind acestea drept realitate, toate gîndurile murdare se sting. Ţinînd seama de acestea așa cum se cuvine, în limitele lor numeroase, nici măcar o nimfă cerească nu vă va oferi bucurie. Însă puterea poftelor trupești este mare în bărbaţi, astfel că ei trebuie să se teamă de ea; luaţi atunci arcul perseverenţei grave și săgeţile ascuţite ale înţelepciunii, acoperiţi-vă capul cu coiful gîn-dirii cuvenite și luptaţi cu o hotărîre stator-nică împotriva celor cinci dorinţe. Mai bine vă scoateţi ochii cu ace de fier înroșite în foc decît să încurajaţi în voi pofte trupești sau să vă uitaţi la femei cu astfel de dorinţe. Poftele trupești înceţoșează inima unui băr-bat, ameţit de frumuseţea femeii; din cauza bărbăţiei din karma lui, mintea lui este orbită; iar la sfîrșitul vieţii sale, după ce s-a înjosit cu femei pentru cîteva plăceri trupești, implicat cu răutate în capcana învoielii reci-proce care este cea mai mare încîntare a ei, bărbatul trebuie să o ia pe o cale greșită. Cu viaţa irosită în totalitate, o viaţă trăită în taină în cel mai bun caz, el ajunge la bătrîneţe trăncănind nenumărate vorbe misterioase, cu păreri de rău în privinţa religiei. Temeţi-vă deci de durerea acestei căi greșite! Temeţi-vă deci și nu oferiţi adăpost înșelăciunilor feme-ilor! Înfrînaţi-vă de la a privi formele lor; faceţi-vă ordine în gînduri. Să presupunem că există o fecioară din casta războinicilor, a brahmanilor sau a oamenilor liberi, cu tot

farmecul celor 15 sau 16 primăveri ale ei;
nici înaltă, nici scundă, nici zveltă, nici înde-
sată, nici oacheșă, nici cu pielea albă – nu
este ea în această perioadă cît se poate de
încîntătoare ca formă și aspect? Oricare ar
fi plăcerea și satisfacția care se nasc la vede-
rea acestei frumuseți și încîntări – ele apar-
țin desfătărilor formei. Să spunem că, după
o vreme, cineva o vede pe această femeie
inocentă cînd are 80, 90 sau 100 de ani,
epuizată, încovoiată precum un căprior de
acoperiș, aplecată, clătinîndu-se și tremurînd,
rezemată într-un toiag, distrusă, scofîlcită,
ridată și plină de pete, cu dinții stricați, părul
cărunt și capul tremurător. Ce credeți, călu-
gărilor? Acea încîntare a formei și înfățișării
ei – oare nu a dispărut, lăsînd locul nenoro-
cirii? Iar dacă cineva ar vedea-o pe această
femeie bolnavă, suferindă, plină de răni, zăcînd
murdară în propria mizerie, ridicată de alții,
îngrijită de alții – ce credeți voi, călugărilor?
Oare nu a dispărut cu totul ceea ce odinioară
era frumusețe și încîntare, iar în locul ei a
rămas nenorocire? Iar dacă cineva ar vedea-o
pe această femeie după ce trupul ei a zăcut
în mormînt o zi, două zile sau trei, umflată,
decolorată, putrezită, ciugulită de ciori, șoimi
și vulturi, roasă de cîini și șacali și de tot
felul de ființe tîrîtoare. Sau dacă cineva ar
vedea trupul cînd el este doar un schelet
stropit de sînge, de care atîrnă fîșii de carne,
sau cînd oasele s-au risipit toate; sau cînd,
albe precum scoicile, ele sînt aruncate într-un
morman, sau cînd, după un an, sînt roase
de vreme și transformate în praf. Ce credeți

voi, călugărilor? Toată acea grație și fru-
musețea care au existat odinioară – nu s-au
risipit ele cu totul, iar în locul lor este
nenorocire? Dar aceasta este nenorocirea
formei.

Doamna Amra, îmbrăcată potrivit ocaziei
astfel încît farmecul ei să nu incite, acoperită
cu niște veșminte simple, netulburată de gîn-
duri, a așteptat acolo pînă cînd s-au adus
ofrande de hrană și băutură Celui Binecuvîntat
și tovarășilor săi.

Buddha i-a vorbit.

— Inima ta, doamnă! Pare calmă și liniș-
tită, forma ta lipsită de podoabe; tînără în
ani și bogată, pari pe cît de talentată, pe atît
de frumoasă. Ca cineva astfel înzestrat să
poată primi prin credință legea cea dreaptă
este, într-adevăr, ceva rar în lume. Înțelep-
ciunea unui maestru izvorîtă din nașteri
anterioare îi dă putința să împărtășească
legea cu bucurie; acest lucru nu este rar.
Dar ca o femeie, cu voința slabă, cu înțelep-
ciunea neîndestulătoare, adînc cufundată în
iubire, să se poată desfăta în pietate, lucrul
acesta, într-adevăr, este foarte rar. Un bărbat
născut în lume ajunge, prin gîndirea corectă,
la desfătare în solitudinea bunătății, recu-
noscînd vremelnicia bogăției și frumuseții și
privind spre religie ca spre cea mai frumoasă
podoabă a lui. El simte că doar aceasta poate
să îndrepte relele vieții și să schimbe soarta
celor tineri și a celor bătrîni; soarta cea rea
care strînge în clești viața altcuiva nu îl poate
afecta, dacă el trăiește drept. Dacă se bizuie
pe ajutorul altuia, are parte de durere; dacă

se bizuie pe sine, e puternic și fericit. Dar,
cînd vine vorba de femei, de la altul vine
truda și copilul altuia îl hrănesc. Și astfel,
atunci, toată lumea ar trebui să chibzuiască
bine, să deteste și să îndepărteze forma femeii.

Doamna Amra a răspuns:

— O! Fie ca stăpînul să primească, cu
mila lui adîncă, această ofrandă de la mine,
oricît aș fi de neștiutoare, și să îmi împli-
nească astfel cel mai solemn jurămînt.

Și a intrat în Ordinul Surorilor Bhikshuni.

Din Vaisali, Cel Binecuvîntat a plecat în
Sravasti.

Acolo, în Sala de Meditație Jetavana,
Buddha și-a rostit cuvîntarea în fața a 1.200 de
mari discipoli, cuvîntare care a devenit cunos-
cută drept „Sutra Surangama". Era o învăță-
tură înaltă care rezolva multe dileme și care a
reușit să îi scape pe foarte inteligenții călugări
de îndoielile tulburătoare pe care le resimțeau
uneori în meditațiile lor. La auzirea acestei
Mari Sutre pe care Cel Binecuvîntat a inter-
pretat-o cu mare grijă, mulți discipoli novici
au devenit sfinți desăvîrșiți și au intrat imediat
în Oceanul Omniscienței, căci era învățătura
perfectă a practicilor și realizărilor Căii Secrete
a lui Tathagata.

În aceeași zi a avut loc o întîmplare neo-
bișnuită care l-a implicat pe Ananda și care
a servit drept imbold pentru începerea unei
discuții. Mai devreme în ziua aceea, regele
Prasenajit îi invitase pe Buddha și pe prin-
cipalii lui bodhisattva-mahasattva (mari ființe
înțelepte) la un ospăț special în palatul regal.

Toți ceilalți călugări, tineri și bătrîni, fuseseră invitați la alt ospăț, astfel că Ananda, care s-a întors la mănăstirea Jetavana dintr-o călătorie pe care o făcuse într-o provincie îndepărtată, nu a găsit pe nimeni acolo și, drept urmare, s-a dus singur în Sravasti ca să cerșească de mîncare. Pe cînd cerșea din ușă în ușă, în mantia lui galbenă și îngrijită, fiica drăguță a unei prostituate l-a plăcut și a implorat-o pe mama ei să folosească un șiretlic care să-l facă pe tînărul și atrăgătorul călugăr să vină în camera ei. Ananda era Ananda, blînd și impresionabil, astfel că s-a trezit curînd în camera lui Pchiti, fermecat de frumusețea fecioarei și de vraja cunoscută drept *bramanyika*, invocată de mama ei.

Buddha, care s-a întors în sala de meditație și s-a așezat împreună cu toți discipolii lui pentru continuarea Rugăciunii de Vară și a mărturisirilor publice Uposatha făcute de diverși călugări, a știut în tot acest timp unde era Ananda și ce se întîmpla. Drept urmare, el l-a trimis pe „celălalt Ananda", celălalt însoțitor permanent al lui, Marele Bodhisattva al Strălucirii Intelectuale, Manjusri, la casa prostituatei, pentru a recita Marea Dharani (Marea Rugăciune), astfel încît Ananda să nu cedeze ispitei. Imediat ce Manjusri s-a supus dorințelor Stăpînului său, Ananda și-a recăpătat autocontrolul și și-a dat seama că visa. Manjusri i-a încurajat apoi atît pe Ananda, cît și pe Pchiti, care s-au întors împreună cu el la Buddha, în sala de meditație.

Cînd Ananda a ajuns în fața lui Buddha,
s-a aplecat pînă la pămînt cu multă umilință,
învinovățindu-se singur că încă nu dezvoltase
pe deplin potențialitățile Iluminării și prin
urmare nu reușise să ridice cortina limitărilor
muritoare de pe mintea lui cea adevărată și
originară, plină de strălucire, deoarece începînd
cu viețile lui anterioare se dedicase prea mult
studiului și învățării cuvintelor și ideilor. Astfel
că, dat fiind că mintea lui nu era concentrată
asupra esenței sale pure de răbdare desăvîr-
șită și liniște netulburată, oceanul universal
și profund al beatitudinii, el nu fusese în
măsură să reziste ademenirii fecioarei Pchiti
sau să își controleze mintea și trupul și rîv-
nise după lucruri exterioare, abandonînd
astfel sfințenia strălucitoare a unui *bhikshu*
în favoarea înflăcărării vane a animalității,
care aparține ciclului repetat al morților și
renașterilor. Ananda a pledat cu convingere
în fața lui Buddha și s-a rugat către toți ceilalți
Tathagata din cele zece colțuri ale universu-
lui să îl sprijine pentru a atinge Iluminarea
desăvîrșită, adică să îl sprijine prin mijloace
fundamentale și eficace în practicarea celor
Trei Excelențe – Dhyana (meditația), Samadhi
(extazul în meditație) și Samapatti (puterile
transcendentale născute din extazul în medi-
tație).

În același timp, toți cei adunați acolo, în
unanimitate și cu bucurie, s-au pregătit să
asculte îndrumarea pe care Buddha avea să
i-o ofere lui Ananda. Tot în unanimitate, ei
s-au închinat Stăpînului lor și apoi și-au
reluat locurile și au așteptat în liniște și cu
răbdare să primească învățătura sacră.

Buddha a spus:

— Ananda! Și voi toți cei din această măreață adunare Dharma! Ar trebui să știți și să prețuiți faptul că pricina pentru care ființele conștiente au alcătuit, prin viețile lor anterioare încă din timpul neînceput, o înșiruire de morți și renașteri, viață după viață, este că ele nu au atins niciodată adevărata Esență a Spiritului și strălucirea ei autopurificatoare. Dimpotrivă, ele au fost mereu preocupate de gîndurile lor amăgitoare și trecătoare, ce nu sînt decît falsitate și frivolitate. Astfel, ele au pregătit condițiile pentru acest ciclu veșnic al morților și renașterilor. Ele ar trebui să fie una cu acei Tathagata care au rămas întotdeauna, din timpul neînceput pînă în timpul nesfîrșit, la un singur și pur Așa-cum-este, netulburați de nici o complexitate în spiritul lor și nici de vreun gînd de discriminare a unui lucru sau altuia. Ananda, vreau să te întreb ceva; te rog, ascultă cu băgare de seamă. Ai spus odată că, atunci cînd s-a deșteptat credința ta în mine, asta s-a datorat vederii celor treizeci și două de semne ale excelenței tradiționale. Dă-mi voie să te întreb: ce anume ți-a dat senzația vederii? Și ce anume a resimțit asta? Și cine anume a fost încîntat?

Ananda a răspuns:

— Atunci cînd am simțit încîntare, asta s-a întîmplat atît în ochii, cît și în mintea mea. Cînd ochii mei au văzut, mintea mea a simțit imediat încîntare.

Buddha a spus:

— Din ceea ce tocmai ai spus, Ananda, încîntarea ta și-a avut obîrșia în ochii tăi, dar și în mintea ta. Ananda, dacă nu știi unde se află percepția vederii și unde își au originea activitățile minții, nu vei fi niciodată în măsură să subjugi atașamentele și contaminările lumești. Ananda! Dacă nu știi unde se află obîrșia percepției vederii, ești asemenea unui rege a cărui cetate a fost năpăstuită de tîlhari și care a încercat să pună capăt jafurilor, dar care nu a izbutit deoarece nu a putut găsi ascunzișul tainic al tîlharilor. La fel și tu rătăcești, neștiutor și fără control. Lasă-mă să te întreb: în ceea ce privește ochii și mintea ta, știi care este ascunzișul lor tainic?

Ananda a răspuns:

— Nobile Stăpîn! În toate cele zece ordini diferite ale vieții, ochii sînt înaintea feței, iar mintea este ascunsă înăuntrul trupului.

Buddha l-a întrerupt:

— Ce anume vezi prima oară, așa cum stai aici, în sală, privind prin ușa deschisă?

— Mai întîi îl văd pe Stăpînul meu, apoi distinsul public și doar după aceea văd copacii și grădina de afară.

— Ce anume îți dă posibilitatea ca, în timp ce privești afară, să deslușești aceste priveliști diferite pe care le văd ochii tăi?

— Este din pricină că ușa sălii este larg deschisă.

— Dacă percepția vederii ar fi cu adevărat înăuntrul trupului, la fel ai fi în măsură să vezi interiorul trupului tău și abia după aceea priveliștile din afară, așa cum facem noi în sală. Dar nu există ființe conștiente care să poată vedea atît în interiorul, cît și în exteriorul trupului lor.

Ananda, plecîndu-se, a spus:

— Mintea mea trebuie să fie asemenea unei lămpi atunci, o lampă în afara trupului meu care luminează priveliștile din afară, dar nu și lăuntrul trupului meu.

— Dacă este așa, cum ar putea mintea ta să perceapă ceea ce simte trupul tău? De pildă, în timp ce privești ceva, este limpede că globii oculari care aparțin trupului tău și percepția ce aparține minții tale se află într-o cooperare reciprocă desăvîrșită, astfel încît ceea ce tocmai ai spus despre mintea care există în afara trupului este imposibil.

— Dar, Stăpîne, se pare că mintea care percepe trebuie să fie într-un anumit loc!

— Dar, Ananda, unde este locul ei statornic?

— Mintea mea care percepe trebuie să fie asemenea unui bol de cristal care îmi acoperă ochii.

— Dacă e așa și percepția e adăpostită în mintea ta care percepe, ai putea să îți vezi proprii ochi fără ajutorul unei oglinzi.

— Stăpîne, trebuie că mintea mea care percepe se află între ochii mei și obiectele vederii pe care le văd.

— Ananda, acum socotești că Mintea trebuie să se afle între unele lucruri. Cum poate mintea care percepe să se afle între locul ochilor și locul obiectelor vederii, cînd mintea care percepe și ochii sînt ca una singură, desăvîrșit împletite?

— Acum ceva vreme, cînd Stăpînul meu discuta despre Dharma intrinsecă cu cele

patru mari ființe înțelepte, Maudgalyayana,
Subhuti, Purna și Sariputra, l-am auzit din
întîmplare pe Stăpînul meu spunînd că esența
minții conștiente care percepe și discerne nu
există nici în interior, nici în exterior și nici
între, de fapt, că ea nu are un loc de exis-
tență.

— Ananda, esența minții conștiente care
percepe și distinge nu are nici un loc anume
nicăieri; ea nu se află nici în această lume,
în spațiile imense și deschise, nici în apă,
nici pe pămînt, nici nu zboară cu aripi, nici
nu merge și nu e nicăieri.

La care Ananda s-a ridicat de la locul său
din mijlocul adunării, și-a potrivit eșarfa cere-
monială, a pus jos genunchiul drept, și-a
împreunat palmele și i s-a adresat plin de
venerație lui Buddha, spunînd:

— Nobile Stăpîn! În pofida a tot ce am
cîștigat din punct de vedere mental, nu am
ajuns să fiu eliberat de contaminări și ata-
șamente și, prin urmare, nu am putut să
înving vraja din casa unei femei ușoare.
Mintea mea a devenit confuză, iar eu eram
pe punctul de a mă cufunda în dezonoare.
Acum îmi dau seama că asta s-a datorat
în întregime neștiinței mele despre ceea ce
este Minte adevărată și esențială. Mă rog
ție, o, Stăpîne, să ai milă de mine și să-mi
arăți Calea cea dreaptă către grația spiri-
tuală care vine împreună cu extazul în
meditație, astfel încît să pot să ating stăpîn-
irea de sine și să scap de ispita răului și
de suferințele morților și renașterilor suc-
cesive.

Atunci Buddha s-a adresat adunării, spunînd:

— Încă din timpul neînceput, de la o viață la alta, toate ființele conștiente au avut amăgirile lor tulburătoare ce s-au arătat în devenirea lor naturală, fiecare supusă puterii condiționale a karmei individuale, asemenea tecii bamei care, atunci cînd se deschide, lasă întotdeauna să cadă cîte trei seminte în fiecare grup. Pricina pentru care nu toți discipolii devotați ating deodată iluminarea supremă este că ei nu realizează cele Două Principii Primordiale, iar din cauza asta unii ating doar o sfințenie limitată sau o înțelegere parțială a novicelui, iar alții ajung să aibă o minte confuză și cad în practici greșite. E ca și cum ei ar încerca să gătească bucate gustoase fierbînd pietre sau nisip, ceea ce, neîndoielnic, nu ar putea să facă niciodată, și de ar încerca nenumărate kalpa de timp. Aceste Două Principii Fundamentale sînt: primul, cauza primordială a succesiunii morților și renașterilor, încă din timpul neînceput. Din aplicarea acestui principiu a rezultat deosebirea minților tuturor ființelor conștiente, care au socotit întotdeauna că mințile lor limitate, tulburate și contaminate erau Esența Minții lor adevărate și naturale. Al doilea, cauza primordială a unității pure a Iluminării și a Nirvanei care a existat din timpul neînceput. Prin absorbirea acestui principiu în strălucirea propriei naturi, spiritul lui unificator poate fi descoperit, dezvoltat și realizat în toate felurile de condiții. Motivul pentru care acest spirit unificator se pierde atît de iute

printre diversele condiții este că uiți atît de
repede strălucirea și puritatea naturii tale
esențiale și, în toiul treburilor zilei, încetezi
să îți mai dai seama de existența ei. Acesta
este, Ananda, motivul pentru care tu și toate
ființele conștiente ați căzut, din neștiință,
în nenorocire și în tărîmuri diferite ale exis-
tenței.

Tathagata a ridicat pumnul, spunînd:

— Ananda, în vreme ce privești cu atenție
pumnul meu, ce anume îți dezvăluie exis-
tența Minții tale Esențiale?

Ananda a răspuns:

— Această ființă gînditoare și rațională
care îmi dă posibilitatea de a percepe pumnul
tău strălucitor este ceea ce se înțelege prin
„mintea mea".

Buddha l-a mustrat cu asprime pe Ananda,
spunîndu-i:

— Fără îndoială, asta este absurd, să afirmi
că ființa ta este mintea ta.

Ananda s-a ridicat cu mîinile împreunate
și a spus, uimit:

— Păi, Stăpîne, dacă ființa mea nu este
mintea mea, ce altceva ar putea fi? Eu însumi
sînt mintea mea! Dacă aș renunța la percep-
țiile și la conștiința mea, nu ar mai rămîne
nimic care să poată fi considerat drept eu
însumi sau mintea mea.

La care Cel Binecuvîntat și-a așezat cu
afecțiune mîna pe creștetul lui Ananda:

— Acum, că mi-am deschis pumnul, iar
vederea lui a dispărut din gîndirea și din
judecata ta, mintea ta dispare și ea și devine
asemenea părului de pe o broască-țestoasă

sau cornului de pe un iepure? De vreme
ce mintea ta continuă să distingă amin-
tirea acelor percepții și conștiința pumnu-
lui meu, ea nu a dispărut. Ananda și toți
discipolii mei! În ce privește spusele lui
Ananda că mintea lui este el însuși, v-am
învățat întotdeauna că toate fenomenele sînt
pur și simplu o manifestare a esenței min-
ții. Așa este și în cazul a ceea ce voi numiți
sine, este pur și simplu o manifestare a
esenței minții. Dacă cercetăm obîrșia ori-
cărui lucru din întregul univers, descope-
rim că acesta nu este decît o manifestare
a vreunei esențe primordiale. Pînă și minus-
culele fire de iarbă, nodurile de ață, toate,
dacă le cercetăm cu atenție, descoperim că
există o esență originară. Esența valurilor
mării este marea. La fel, esența gîndurilor
din minte este mintea. Sinele, obiectele și
evoluțiile sinelui nu sînt permanente, ase-
menea tuturor obiectelor și gîndurilor, care
sînt precum valurile; în timp ce ele dispar,
ar trebui oare să întreb din nou dacă și
esența minții voastre dispare și devine ase-
menea părului de pe o broască-țestoasă sau
cornului de pe un iepure? Dacă esența min-
ții ar dispărea, nu ar mai rămîne nimic și
nici un fel de ființe conștiente care să vor-
bească despre ea. Esența minții nu dispare
deoarece ea transcende fenomenele și se
află dincolo de ele, fiind liberă de orice
gînduri discriminatoare despre sine și non-
sine. Îndată ce mintea face discriminări,
toate cauzele și efectele, de la marile uni-
versuri și pînă la firișoarele de praf care se
văd numai în razele soarelui, dobîndesc o

existență aparentă, asemenea valurilor care se formează la suprafața mării. Știm asta despre valurile de la suprafața mării, deci și despre această lume aparent existentă pe care o vedem ca pe niște valuri la suprafața mării Esenței Spiritului Universal: știm că valurile poartă cele trei semne ale existenței. Aceste trei semne ale existenței sînt: *Vremelnicia*, faptul că au viață scurtă, *Nefericirea*, faptul că sînt tulburate, neîmpăcate și mereu schimbătoare, și *Irealitatea*, faptul că nu au nici o existență substanțială în ele însele ca valuri, fiind simple manifestări ale formei în apă din cauza vîntului. În același mod, această lume fenomenală este o simplă manifestare a Esenței Spiritului datorată neștiinței. Prin urmare, Ananda, ceea ce a dezvăluit existența minții tale esențiale atunci cînd ai privit pumnul meu nu a fost nici aparența, nici neaparența pumnului meu pe care le-a discriminat mintea ta discriminatoare, căci amîndouă sînt doar valuri la suprafață; în mod firesc, mintea ta esențială este temelia, așa cum e marea pentru valuri, în această revelare a vederii. Atîta timp cît înțelegi această minte-creier a conștiinței discriminatoare care depinde de diferitele organe de simț ca fiind același lucru cu Mintea Esențială, atîta timp cît împărtășești această concepție înșelătoare a gîndirii discriminatoare care se bazează pe irealități, nu vei fi liber de otrăvurile care apar din contaminările și atașamentele lumești și vei fi mereu sclavul roții suferinței din această lume transmigratorie, malefică, samsarică, ce nu e nimic altceva decît o pată pe realitatea strălucitoare.

Ananda era înlăcrimat și întristat și și-a cerut iertare pentru marea lui învățătură și pentru marea lui neliniște de asemenea, numindu-le cele două mari obstacole.

Buddha a strîns din nou pumnul și l-a ridicat în lumina strălucitoare a soarelui:

— Prin ce mijloace se manifestă strălucirea vederii acestui pumn?

— Din pricina strălucirii o văd cu ochii mei, iar mintea mea îi concepe strălucirea.

— Percepția vederii depinde de strălucire?

— Fără strălucire nu aș vedea nimic.

— În orbirea lui, un orb vede întuneric și nimic altceva. Nu s-a pierdut nimic din concepția vederii, dar concepția lui este a întunericului. El pur și simplu vede ca orice om văzător care este închis într-o cameră întunecată. Închide ochii, Ananda; ce percepi în afară de întuneric?

Ananda a recunoscut că percepe întunericul.

— Dacă orbul și-ar recăpăta dintr-odată vederea ar fi ca și cum o lampă ar fi adusă în camera întunecată, iar noi am spune că acel om vede din nou obiecte cu ajutorul lămpii. Dar percepția vederii, percepția însăși, nu depinde nici de aceste două concepții arbitrare ale strălucirii sau întunericului, nici de lampă, nici de ochi, deoarece percepția vederii, percepția însăși, își are originea în spiritul tău desăvîrșit, originar și esențial. Spiritul Esențial transcende și sălășluiește în toate fenomenele cauzelor și condițiilor precum strălucirea, întunericul,

ochii și lămpile, e liber față de ele și reac-
ționează liber la ele atunci cînd apare ocazia
lor, așa cum marea transcende și sălăș-
luiește în toate valurile ei, dar reacționează
liber la ele atunci cînd apare ocazia formă-
rii valurilor. Astfel, într-un sens adevărat,
nici concepția strălucirii din mintea ta, nici
ochii tăi nu sînt cei care au perceput pum-
nul meu.

Ananda s-a așezat năuc, sperînd la o inter-
pretare clară a acestei îndrumări rostită cu
tonul bun și blînd al Maestrului, așteptînd
cu o inimă pură și nerăbdătoare.

Cel Binecuvîntat, în marea lui bunătate,
și-a lăsat mîna să se odihnească binevoitor
pe creștetul lui Ananda și i-a spus:

— Motivul pentru care nici o ființă con-
știentă nu izbutește să atingă iluminarea
pînă cînd nu devine Buddha este că a fost
dusă pe căi greșite de concepții false despre
fenomene și obiecte, care i-au pîngărit spi-
ritul. Profund absorbite în visul lor, ființele
nu pot să se trezească la realitatea vidului
strălucitor și desăvîrșit al spiritului lor esen-
țial, care se află pretutindeni. Ele nu știu
că totul este văzut de mintea însăși. Ele se
concentrează asupra visului, în loc să se
concentreze asupra minții care îl iscă. Spi-
ritul esențial este asemenea unui spațiu
deschis, permanent și nemișcat; visul exis-
tenței este asemenea firelor de praf care se
mișcă, apărînd și dispărînd în spațiul des-
chis. Spiritul Esențial este asemenea unui
han; dar visul existenței este asemenea călă-
torului care nu poate să stea decît peste

noapte și trebuie să plece mai departe, mereu schimbător.

Ridicînd mîna, Buddha și-a desfăcut degetele și apoi le-a strîns:

— Ananda, ce este în mișcare și ce este nemișcat?

Ananda și-a dat seama că mîna Celui Binecuvîntat care se desfăcea și se strîngea, și nu „vederea" lui era ceea ce se mișca.

— Stăpîne, degetele erau în mișcare, nu percepția ochilor mei.

— Ananda, a spus Buddha, nu vezi diferența de natură dintre ceea ce se mișcă și se schimbă și ceea ce este nemișcat și neschimbător? Trupul este cel care se mișcă și se schimbă, nu mintea. De ce privești așa de stăruitor mișcarea ca aparținînd atît trupului, cît și minții? De ce îngădui gîndurilor tale să sporească și să scadă, lăsînd trupul să stăpînească mintea, în loc ca mintea să stăpînească trupul? De ce îți lași simțurile să te înșele în ce privește natura adevărată și neschimbătoare a minții și apoi să facă lucrurile într-o ordine inversă, în direcția Principiului Ignoranței care duce la mișcare, confuzie și suferință? Așa cum cineva uită adevărata natură a minții, el confundă și obiectele asemenea valurilor din sînul ei nelimitat crezînd că ele sînt întreaga minte, confundă reflexiile obiectelor crezînd că ele sînt propria minte, legîndu-se astfel de mișcările neliniștite și nesfîrșite, schimbările trecătoare și suferința ciclurilor repetate ale morților și renașterilor care sînt provocate chiar de el. Ar trebui să privești toate aceste schimbări drept „fire de praf", iar ceea ce este neschimbător drept adevărata natură a minții tale.

Apoi Ananda și întreaga adunare și-au dat seama că, încă din timpul neînceput, uitaseră și ignoraseră natura lor adevărată în mijlocul reflexiilor iluzorii ale lumii și că lumea era doar minte. Se simțeau așa cum se simte un prunc care a descoperit sînul mamei și a devenit calm și împăcat în spirit. L-au rugat stăruitor pe Stăpînul Tathagata să îi învețe cum să facă distincțiile cuvenite între trup și minte, între ceea ce este real și ceea ce este ireal, între ceea ce este adevărat și ceea ce este fals, între naturile manifeste ale morților și renașterilor, pe de o parte, și natura intrinsecă a ceea ce este nenăscut și care nu moare niciodată, pe de alta; una apărînd și dispărînd, cealaltă sălășluind pentru totdeauna în esența propriei minți.

Regele Prasenajit s-a ridicat și i-a cerut lui Buddha îndrumări care să îl ajute să își dea seama de natura nemorții și nenașterii, astfel încît să poată începe să înțeleagă starea care te eliberează, în ultimă instanță, de roata morților și renașterilor. Buddha i-a cerut să descrie aspectul lui prezent în comparație cu aspectul lui din copilărie. Regele a strigat:

— Cum aș putea să compar prezentul cu copilăria mea?

Și a descris procesul treptat de degradare și schimbare care se desfășurase an de an, lună de lună, „chiar zi de zi", și care avea să se termine în curînd prin distrugerea lui completă. Apoi Buddha l-a întrebat cîţi ani avea atunci cînd văzuse pentru prima oară Gangele – 3 ani; şi a doua oară – 13 ani; şi cîţi ani avea în momentul acela – 62; şi dacă percepţia lui despre Gange se schimbase. Regele a răspuns:

— Vederea ochilor mei nu mai e la fel de bună, dar percepţia vederii este exact la fel ca întotdeauna.

Buddha i-a zis:

— Maiestate! Ai fost întristat de schimbările înfăţişării tale de după tinereţe – părul încărunţind şi faţa ridată, circulaţia sîngelui deficientă –, dar spui că percepţia vederii în comparaţie cu felul cum era ea în tinereţe nu manifestă nici o schimbare. Spune-mi, Maiestate, există tinereţe şi bătrîneţe în percepţia vederii?

— Nicidecum, Stăpîne.

Buddha a continuat:

— Maiestate! Chiar dacă faţa ta s-a ridat, în percepţia ochilor tăi nu există nici un semn de bătrîneţe, nici un rid. Apoi, ridurile sînt simbolul schimbării, iar lipsa lor este simbolul neschimbării. Ceea ce se schimbă trebuie să sufere distrugerea, dar ceea ce este neschimbător este liber de morţi şi renaşteri.

Toţi cei adunaţi acolo s-au bucurat foarte mult să audă aceste veşti străvechi de la Tathagata şi să înceapă să-şi dea seama de adevărul lor misterios.

Apoi Ananda a vrut să ştie cum se face că, de vreme ce percepţia minţii era liberă

de morți și renașteri, cu toate acestea oame-
nii uitau natura adevărată a minții și acțio-
nau într-o stare de „confuzie inversată", în
direcția Principiului Ignoranței.

Buddha și-a întins brațul cu degetele
îndreptate în jos, într-o anumită mudra mis-
tică.

— Ananda, dacă această poziție este
numită „răsturnată", ce ai numi drept?

— Stăpîne, să ții degetele îndreptate în sus
s-ar numi „drept".

Buddha și-a întors brusc mîna și i-a spus
lui Ananda:

— Dacă această tălmăcire a pozițiilor, răs-
turnată sau dreaptă, se face pur și simplu
prin întoarcerea mîinii, astfel ca degetele să
arate fie în sus, fie în jos, fără vreo schimbare
a locului mîinii, adică după cum e ea văzută
de ființele acestei lumi, atunci tu ar trebui
să știi că esența universală a Spiritului
care este pretutindeni pentru totdeauna orice,
care este Pîntecele lui Tathagata, care este
pura Dharmakaya (Corpul Legii Consacrate),
poate fi tălmăcită diferit privind-o din diferite
puncte de vedere ale desăvîrșirii, ca fiind fie
nirvana nenăscută de dincolo de existență,
„Adevărata Iluminare" a lui Tathagata (stră-
lucitoare, desăvîrșită, vidă, nemuritoare), fie
Samsara, existența condiționată, lumea pe
care o avem, muritoare, impură, întunecată,
suferindă, aparițiile ignoranței în mintea-cre-
ier discriminatoare a cuiva, „poziția răstur-
nată".

Ananda și întreaga adunare erau nedu-
meriți și îl priveau fix, cu gura căscată. Ce

voia să spună prin poziție răsturnată a minții? Însă motivul pentru care ei îl vedeau acum cu ochii lor, în loc să nu vadă nimic în vidul pur și adevărat, era tocmai această poziție răsturnată a minții lor.

Dintr-o mare compasiune a inimii, lui Buddha i s-a făcut milă de Ananda și de marea adunare. El le-a vorbit pe un ton liniștitor:

— Bunii și credincioșii mei discipoli! Oare nu v-am învățat mereu că toate cauzele și condițiile care caracterizează fenomenele schimbătoare, precum și modurile minții, și diferitele atribute ale minții, și condițiile dezvoltate independent ale minții, sînt toate doar manifestări ale minții; și întregul trup și întreaga voastră minte nu sînt decît manifestări ale minunatei, iluminatoarei și adevăratei naturi a Esenței Spiritului misterios și atotcuprinzător? Totul are loc în mintea voastră, ca un vis. Imediat ce vă treziți și încetați să visați, mintea voastră se întoarce la vidul și puritatea ei de la început. De fapt, mintea voastră s-a întors deja la vidul și puritatea ei de la început, iar această lume nu este decît o umbră șchioapă. De ce continuați să uitați așa de ușor mintea naturală, minunată și iluminată a purității desăvîrșite – acest spirit misterios al strălucirii radioase? Și de ce sînteți încă uimiți de conștiința voastră înțelegătoare?

După care Buddha a descris în cîteva cuvinte geneza lumii:

— Spațiul deschis nu este decît neclaritate invizibilă; neclaritatea invizibilă a spațiului este amestecată cu întuneric, pentru a arăta asemenea formelor; senzațiile date de forme sînt transformate în concepții iluzorii și arbitrare ale fenomenelor; iar din aceste concepții false și inventate ale fenomenelor apare conștiința trupului. Astfel, înăuntrul minții, care se reduce în cele din urmă la mintea-creier a sinelui, aceste harababuri de cauze și condiții, ce se separă în grupuri și vin în contact cu obiectele proiectate ale lumii, sînt trezite dorința sau teama care împart mintea netulburării originare și o fac să fie stîrnită de pasiune sau de panică, de mulțumire sau de furie. Imediat ce o acceptați ca minte adevărată, e oare de mirare că deveniți nedumeriți și presupuneți că ea s-ar găsi în trupul vostru fizic și că toate lucrurile exterioare, munți, rîuri, spații mari deschise și întreaga lume s-ar afla în afara trupului? Este oare de mirare că nu ați reușit să vă dați seama că tot ce ați conceput în mod atît de fals are existență doar înăuntrul minții voastre minunate și iluminatoare a Esenței Adevărate? Ca și cum ați abandonat toate oceanele mărețe, pure și calme și v-ați agățat de un singur val pe care nu doar îl acceptați, ci îl considerați întregul corp al apei din toate sutele de mii de mări. Printr-o astfel de dezorientare vă arătați a fi niște neghiobi. Chiar dacă eu îmi mișc degetul în sus sau în jos, nu există nici o schimbare în mîna însăși. Chiar dacă voi uitați sau nu adevărata natură a minții, nu există nici o schimbare în adevărata natură a minții. Dar lumea face distincție și spune că acum mîna este dreaptă, iar acum este întoarsă, că acum adevărata natură a minții este puritatea-nirvana, acum este profanarea-samsara. De vreme ce esența este dincolo de concepția de orice tip, cei care fac asta trebuie compătimiți.

Dîndu-și seama că mintea lui esențială era terenul permanent pentru mintea-creier discriminatoare și schimbătoare, Ananda a vrut să afle dacă mintea cu care el individualiza și discrimina învățătura Stăpînului despre mintea esențială era aceeași cu mintea lui esențială.

Buddha a răspuns:

— Ananda, atunci cînd, în învățătura mea, eu îmi îndrept degetul către lună, tu iei degetul meu drept lună. Dacă iei ceea ce a discriminat învățătura mea drept minte a ta, atunci, cînd dă deoparte concepțiile învățăturii discriminate, mintea ar trebui totuși să își păstreze natura discriminatoare, ceea ce nu se întîmplă. Este ca un călător ce caută un han în care să se odihnească pentru o scurtă vreme, dar nu permanent. Dar hangiul trăiește acolo permanent, el nu pleacă nicăieri. La fel și cu această dificultate. Dacă mintea-creier discriminatoare este mintea ta adevărată, ea nu ar trebui să se schimbe niciodată și nici să nu plece. Cum poate fi mintea ta adevărată atunci cînd, imediat ce sunetul vocii mele încetează, ea nu mai are nici o natură discriminatoare? Atît mintea-creier, care este asemenea unui val, cît și esența ei, ce este asemenea mării, au o natură individuală și originară care este singura și adevărata realitate.

Ananda a spus:

— Nobile Stăpîn, dacă atît mintea-creier discriminatoare, cît și esența ei au aceeași origine, de ce mintea esențială, care este asemenea mării, care tocmai a fost proclamată de Stăpînul Buddha ca fiind una cu mintea-creier discriminatoare, de ce nu revine ea la starea ei originară?

Dar, imediat ce a întrebat asta, Ananda și-a dat seama că el vorbea despre un caracter originar care nu avea nevoie să revină.

Iar atunci Buddha a purces la elaborarea învățăturii care să îi elibereze pe discipoli de servitutea față de falsa percepție.

— Nu există nici o strălucire în realitate, în afara a ceea ce este percepție a strălucirii: căci ce este strălucitor la ușă? Strălucirea nu e produsă de soare, e doar faptul că soarele face posibil să existe o percepție a strălucirii în spațiul deschis. La ce revine percepția strălucirii? Nu la soare. Ci la mintea care percepe. Pentru că, dacă ați face facultatea percepției să revină la soare și ați spune că ea își are originea în soare, atunci, cînd soarele ar asfinți și nu ar mai exista nici o strălucire, nu ar mai exista nici o percepție a întunericului. Percepția *este* mintea noastră esențială; strălucirea soarelui sau întunecimea lunii sînt valuri condiționate de la suprafața ei. Ce știe urechea voastră despre strălucire sau întuneric? Ce știe ochiul vostru despre tăcere sau sunet? Ar trebui să știți că fenomenele pe care le percep organele de simț nu își au originea în realitatea minții esențiale, ci în simțurile

înseși. De exemplu, Ananda, strălucirea soa-
relui pe care o percep ochii tăi nu își are
originea în realitatea minții esențiale, care
nu este nici strălucire, nici întuneric, ci
există exclusiv pentru ochii tăi și în ochii tăi.
Și ai putea să știi, Ananda, că focul care arde
acolo, sus, de veacuri, pe care noi îl numim
soare și pe care îl percep ochii, trupul și
mintea-creier nu își are obîrșia în realitatea
minții esențiale, care este Vidul Sfînt și din-
colo de orice condiții ale focului sau lipsei
focului, ci există exclusiv pentru ochi, trup
și minte-creier și în ochii, trupul și min-
tea-creier înseși. Ananda, dacă tu nu ai avea
nici un trup, pentru tine nu ar exista nici
un pămînt și ai putea să treci prin el. Acesta
este soarele tău. Ananda, în realitate, este la
fel de nesăbuit să spui că nu există nici un
trup și nici un pămînt ca și să spui că există
un trup și un pămînt: căci totul este gol și
o viziune de la un cap la altul. Acesta este
soarele tău.

Aceste cuvinte misterioase i-au înspăimîn-
tat pe discipolii ce voiau o explicație simplă,
la care Buddha, supunîndu-se întotdea-
una sincerității intrinsece universale din ini-
ma-esență a acestei lumi ignorante, a răspuns
dorințelor lor arzătoare.

— Bunii și credincioșii mei discipoli, ca
răspuns la întrebarea lui Ananda despre
modul în care el poate să își dea seama că
natura percepției minții sale, care este con-
stantă și profund netulburată de fenomene
aparente, este natura lui adevărată și esen-
țială, îi voi cere să meargă la limita extremă

a vederii împreună cu mine, adică îmi voi
abandona vederea Tathagata, care ajunge
ușor pretutindeni, în toate tărîmurile pure
ale lui Buddha, mai numeroase decît minus-
culele fire de praf, și voi merge cu Ananda
în palatele soarelui și ale lunii – vedem ceva
acolo care aparține naturii noastre adevărate
și esențiale? Cînd ne apropiem de cei Șapte
Munți Aurii care înconjoară Muntele Sumeru
și privim cu atenție, ce vedem? Vedem toate
tipurile de strălucire și splendoare, dar nimic
care să aparțină naturii noastre adevărate și
esențiale. Apropiindu-ne și mai mult, ajun-
gem la norii adunați, păsările zburătoare,
vînturile grăbite, praful stîrnit, munții, pădu-
rile cunoscute, copacii, rîurile, ierburile, plan-
tele, animalele, nimic din acestea neaparținînd
naturii noastre adevărate și esențiale. Ananda,
în ceea ce privește toate aceste lucruri, înde-
părtate sau apropiate, așa cum sînt per-
cepute de esența pură a ochilor tăi care
percep, ele au caracteristici diferite, dar per-
cepția ochilor tăi este întotdeauna aceeași.
Oare asta nu înseamnă că această esență
minunată a percepției vederii, nici fixă, nici
schimbătoare, este natura adevărată a min-
ții noastre?

La aceasta, Ananda a vrut să știe cum
se face că, de vreme ce esența percepției
vederii străbate în mod firesc întregul uni-
vers, acum, în timp ce el și Buddha stau în
sală, percepția vederii este segmentată de
ziduri și case?

— Ananda, a răspuns Buddha, nu este
un atribut al esenței percepției vederii fap-
tul că zidurile sînt ridicate și astfel ochii

nu pot vedea prin impenetrabilitatea lor, că zidurile sînt doborîte și ochii noștri pot vedea prin spațiul deschis, că este lumină strălucitoare și astfel ochii pot vedea strălucire sau că e întunecat și astfel ochii pot vedea întunericul. Acest caracter schimbător nu este un atribut al adevăratei percepții a vederii, care este mintea noastră esențială, minunată și iluminatoare, ce, asemenea spațiului, nu este nici schimbătoare, nici fixă. Ananda, aparența zidului nu ascunde adevăratul vid, adevăratul vid nu anihilează aparența zidului.

Apoi Buddha a continuat, spunînd:

— Să presupunem, Ananda, că eu și cu tine privim pe deasupra grădinilor, drept către soare și lună, și vedem toate obiectele felurite și nici un „lucru" de felul percepției vederii nu ne poate fi indicat. Dar, Ananda, printre toate aceste fenomene felurite, poți să-mi arăți ceva care să nu aparțină percepției vederii?

Ananda a răspuns:

— Nobile Stăpîn! Într-adevăr, acum sînt convins că toate obiectele de orice fel, fie ele mici sau mari, fie că sînt manifestări sau aparențe, aparțin percepției vederii.

Buddha și-a exprimat acordul, spunînd:

— Chiar așa este, Ananda, chiar așa.

Atunci toți discipolii de nivel inferior, în afară de cei mai bătrîni dintre ei, care încheiaseră practica meditației, după ce au ascultat discuția și nu au înțeles semnificația concluziei, au devenit confuzi și speriați, pierzîndu-și controlul.

Tathagata i-a liniștit:

— Bunii, pioșii mei discipoli! Tot ceea ce v-a spus Învățătorul Suprem al Dharmei sînt vorbe adevărate și sincere, nu sînt nici neobișnuite, nici plăsmuiri himerice. Ele nu trebuie comparate cu paradoxurile enigmatice propuse drept ghicitori de faimosul învățător eretic. Nu fiți tulburați de ceea ce vi s-a spus, ci meditați la asta cu toată seriozitatea și nu vă lăsați pradă nici tristeții, nici desfătării.

Apoi Manjusri s-a ridicat și a vrut ca, de dragul celorlalți, să fie clarificată ambiguitatea referitoare la faptul că lucrurile pe care noi le vedem există sau nu pentru percepția vederii și îi aparțin sau nu acesteia, spunînd:

— Pentru acești frați explicația trebuie să fie foarte simplă.

Buddha a răspuns:

— Manjusri și voi toți, bunii mei discipoli: de ce să existe vreo ambiguitate în ce privește apartenența sau neapartenența între percepția vederii, care este oceanul, și vederea lucrurilor, ce reprezintă valurile de pe fața aceluiași ocean? Acei Tathagata din cele zece colțuri ale universului, fie că predică cu vorbe sau fără, împreună cu toate Marile Ființe Înțelepte, așa cum stăruie ele în mod inerent în extaz, socotesc că toate vederile lucrurilor, cauzele și condițiile lor și toate concepțiile despre ele sînt ca niște flori închipuite, care nu au nici o natură adevărată a existenței în ele însele, deoarece împărtășesc starea imaginară, rapidă și nefericită a valorilor stîrnite de o cauză. Percepția minunată și iluminatoare a vederii, vederea obiectelor, ca și obiectele însele, toate acestea aparţin în mod intrinsec minţii esenţiale pure şi desăvîrşite. Prin urmare, atunci cînd cineva priveşte aceste manifestări, care sînt flori închipuite ce se nasc din simţurile aflate în contact cu obiectele, trebuie să îşi amintească faptul că ele sînt nişte iluzii şi apoi nu va mai exista nici o ambiguitate.

Apoi Ananda, declarîndu-şi credinţa în învăţătura lui Buddha că percepţia pură a vederii însăşi era mintea lui esenţială originară şi că toate vederile variate în ele însele aparţineau acesteia doar în esenţă, deoarece nu aveau nici o natură în sine, ci erau asemenea valurilor care vin şi trec după cum dictează ignoranţa, voia să ştie exact cum funcţionau toate acestea, astfel încît să poată cuprinde cu mintea lui ceea ce inima lui deja credea în privinţa adevărului învăţăturii lui Buddha.

La care Buddha a explicat modul cum funcţiona falsa percepţie a ochilor.

— Ananda, ochii, şi nu percepţia intrinsecă a minţii, sînt cei supuşi greşelii. Un om cu ochi bolnavi vede haloul lămpii, dar nu mintea lui esenţială imperturbabilă a creat haloul, ci mintea-creier discriminatoare, potrivit cu ochii lui, care sînt bolnavi. În acelaşi fel, ochii sănătoşi văd mingi imaginare şi flori care călătoresc în spaţiul gol. Ca să ştii, faptul că tot ceea ce vezi cu ochii tăi este un val fals e din cauză că ochii sînt investiţi în mod natural cu o falsă percepţie a vederii. Lucrurile stau astfel cu vederea ochilor încă din timpul neînceput; însuşi faptul că ai vedere a ochilor face parte din karma ta,

moștenirea faptelor ignorante săvîrșite altun-
deva. Dar, Ananda, nu fi tulburat. De vreme
ce e doar o problemă de timp ca tu să te
desparți de această vedere a ochilor, atunci
deja te-ai despărțit de ea. Ananda, nu doar
organul de simț cunoscut sub numele de
ochi, ci și celelalte cinci organe de simț –
urechile, nasul, limba, trupul și creierul – sînt
prin natura lor false și fanteziste, continuînd
să te păcălească atît cît vei trăi. Lasă-mă
să-ți arăt cum toate cele șase organe de simț
lucrează pentru a te amăgi și a te face să
uiți vidul strălucitor, desăvîrșit, misterios și
divin al adevăratei tale minți esențiale. Cînd
privești spațiul vid al cerului, începi imediat
să vezi mingi imaginare și flori care zboară;
alte priveliști stranii, precum particulele ener-
giei arzătoare a soarelui, pot fi văzute cum
apar și dispar asemenea unor luminițe, dar
aceste particule cosmice par să aparțină ener-
giei soarelui; dar unde își au sursa florile
imaginare? Ananda, ele sînt niște apariții
false și fantastice. Și de ce? Pentru că, dacă
aceste flori imaginare ar ține de vederea
ochiului, ele ar avea în mod firesc puterea
de a vedea, ar fi asemenea vederii ochiului
și, găsindu-se acolo, drept în raza vederii
ochilor tăi, ai putea să te vezi pe tine însuți
cu ele. Sau dacă, pe de altă parte, ar ține de
spațiul vid, ar veni din și s-ar duce în alt loc
din spațiul vid și s-ar ascunde în spațiul vid,
iar astfel tu nu ai mai putea spune că acesta
este spațiu vid. Să fii convins, acesta este
spațiu vid și, datorită privirii, percepția a fost
trezită din somnul fără vise din profunzimile
minții esențiale, iar vederea priveliștilor a fost

făcută manifestă. Ananda, florile imaginare sînt semne ale condiției bolnave a ceții morbide pe care noi o numim „vedere bună" și care a fost esențială pentru a face din ființele conștiente păcăliții demni de milă ai falselor vederi, încă din timpul neînceput. La fel este și cu percepția senzației, ea este falsa percepție a trupului.

— Cum așa, Stăpîne?

— Ananda, trupul, și nu percepția intrinsecă a minții, este cel supus erorii. Un om cu trup bolnav simte durere, dar nu mintea lui esențială imperturbabilă a creat durerea, ci mintea-creier discriminatoare este bolnavă, în acord cu trupul. În același fel, trupurile sănătoase simt atingerea, care este imaginară, în spațiul vid. Ca să știi, tot ceea ce atingi cu trupul tău este un val fals din cauză că trupul e investit în mod firesc cu falsa percepție a atingerii. Lucrurile stau așa cu trupul tău încă din timpul neînceput; însuși faptul că ai un trup face parte din karma ta, moștenirea unor fapte ignorante săvîrșite altundeva. Dar, Ananda, nu fi tulburat. De vreme ce e doar o problemă de timp ca tu să te desparți de acest trup, atunci deja te-ai despărțit de el. Cînd îți freci mîinile una de alta și simți catifelare și căldură sau asprime și răceală, unde își are sursa această percepție a senzației? Ananda, este o senzație complet falsă și fantastică. Și de ce? Pentru că, dacă această senzație a atingerii ar ține de mîinile însele, ele ar manifesta în mod firesc acea senzație de atingere tot timpul și nu ar trebui să aștepte să fie frecate una de

alta. Sau dacă, pe de altă parte, senzația
atingerii ar ține nu de trup, ci de acel ceva
care nu este trup, spațiul vid, ea ar fi sim-
țită pe întregul trup tot timpul, și nu doar
în mîinile care se freacă una de alta. Să fii
convins, acesta este spațiu vid, iar prin atin-
gere, percepția a fost trezită din somnul
fără vise din profunzimile minții esențiale
și senzația atingerii a fost făcută manifestă.
Ananda, senzația atingerii este un semn al
condiției bolnave a ceții morbide pe care noi
o numim „trup sănătos" și care a fost esen-
țială pentru a face din ființele conștiente
păcăliții demni de milă ai falselor senzații,
încă din timpul neînceput. La fel stau lucru-
rile și cu percepția auzului; ea este falsa
percepție a urechilor.

— Cum așa, Stăpîne?

— Ananda, urechile, și nu percepția intrin-
secă a minții, sînt cele care sînt supuse gre-
șelii. Un om cu urechi bolnave aude un vuiet
în capul său, dar nu mintea lui esențială
imperturbabilă este cea care a creat vuietul,
ci mintea-creier discriminatoare, în acord cu
urechile, ce sînt bolnave. În același mod,
urechile sănătoase aud sunetul, care este
imaginar, în spațiul vid. Ca să știi, tot ceea
ce auzi cu urechile tale este un fals val din
pricină că urechile sînt investite în mod
firesc cu falsa percepție a sunetului. Lucru-
rile stau astfel cu urechile încă din timpul
neînceput; însuși faptul că tu ai urechi face
parte din karma ta, moștenirea faptelor
ignorante săvîrșite altundeva. Dar, Ananda,
nu fi tulburat. De vreme ce e doar o pro-
blemă de timp ca tu să te desparți de aceste

urechi, atunci deja te-ai despărțit de ele.
Cînd mă auzi lovind în acest gong, așa-numi-
tele vibrații se lovesc de timpanele tale, iar
tu percepi sunetul gongului, dar unde își
are sursa acest așa-numit sunet? Ananda,
este un sunet complet fals și fantastic. Și
de ce? Pentru că, dacă acest sunet și-ar
avea sursa în urechile tale, atunci în mod
firesc el nu s-ar afla în gong, iar urechile
tale ar fi conștiente de sunet tot timpul și
nu ar trebui să aștepte baterea gongului.
Sau dacă sunetul ar ține de gong și ar
depinde de gong și și-ar avea sursa în el, și
mișcarea undelor sonore dinspre gong ar fi
cea care ar crea sunetul, atunci cum ar ști
urechile tale asta mai bine decît ciocănelul
care lovește gongul? Dacă sunetul nu ar
veni nici de la urechi, nici de la gong, ar fi
asemenea florilor imaginare de pe cer, o fan-
tezie din spațiul vid, valuri pe care ființele
conștiente le discriminează și le numesc
sunet. Înțelepții încetează să privească apa-
rițiile și numele drept realități. Cînd apari-
țiile și numele sînt date deoparte și orice
discriminare încetează, ceea ce rămîne este
natura adevărată și esențială a lucrurilor și,
dat fiind că despre natura esenței nu se poate
predica nimic, ea este numită „Așa-cum-este"
al realității. Acest „Așa-cum-este" universal,
nediferențiat și inscrutabil este singura rea-
litate, numită adevăr, minte-esență, inteli-
gență transcendentală, înțelepciune nobilă și
așa mai departe. Această lege a lipsei de
imagine și de sunet a esenței-naturi a reali-
tății supreme este Legea care a fost procla-
mată de toți Buddha. Imediat ce capricioasele

loviri ale gongului, bătăi din palme și miș-
cări zgomotoase ale lumii încetează, atunci
închipuirea sunetului încetează și ea, dar
esența auzului-natură rămîne la fel de poten-
țială și de pură ca spațiul vid. Să fii convins,
acesta este spațiu vid și, prin lovirea de
către mine a gongului, percepția a fost tre-
zită din somnul fără vise din profunzimile
minții esențiale, iar auzirea sunetului a fost
făcută manifestă. În ce privește sunetele,
care sînt valuri, tu ai putea insista asupra
faptului că valurile sînt reale, dar, din pri-
cină că sînt valuri, vor deveni în curînd
non-valuri și, prin urmare, ele sînt deja
non-valuri în Realitatea Supremă. Ananda,
auzirea sunetului este un semn al condiției
bolnave a ceții morbide pe care noi o numim
„urechi bune" și care a fost esențială pentru
a face din ființele conștiente păcăliții demni
de milă ai falselor sunete, încă din timpul
neînceput. La fel stau lucrurile și cu per-
cepția mirosului, ea este falsa percepție a
nasului.

— Cum așa, Stăpîne?

— Ananda, nasul, și nu percepția intrin-
secă a minții, este cel supus erorii. Un om
cu nas bolnav simte un anumit miros meta-
lic neplăcut, dar nu mintea lui esențială
imperturbabilă a creat mirosul, ci mintea-cre-
ier discriminatoare este bolnavă, în acord cu
nasul. În același fel, un nas sănătos simte
mirosul, care este imaginar, în spațiul vid.
Ca să știi, tot ceea ce miroși cu nasul tău
este un val fals din cauză că nasul tău e
investit în mod natural cu falsa percepție a
mirosului. Lucrurile stau așa cu nasul tău

încă din timpul neînceput; însuși faptul că ai un nas face parte din karma ta, moștenirea unor fapte ignorante săvîrșite altundeva. Dar, Ananda, nu fi tulburat. De vreme ce e doar o problemă de timp ca tu să te desparți de acest nas, atunci deja te-ai despărțit de el. Inflorescențele florilor sînt explozii catifelate ale sinelui lor de scurtă durată. Cînd aceste flori sînt așezate în fața ta, particulele extrem de sensibile ale inflorescenței traversează spațiul și ating receptorul impasibil al nasului tău, iar tu devii conștient de o percepție a parfumului, dar unde își are sursa acest parfum? Ananda, este un miros complet fals și fantastic. Și de ce? Pentru că, dacă acest miros și-ar avea sursa în nas, de ce ar trebui nasul să aștepte pînă cînd florile sînt aduse în fața lui pentru ca să devină conștient de parfumul florilor? Dacă acest miros și-ar avea sursa în nas, nasul ar simți mirosul tot timpul, iar fenomenul mirosului nu ar fi supus accidentelor și condițiilor precum așezarea florilor în fața ta. Astfel că mirosul trebuie să își aibă sursa în flori, dar de ce fenomenul acestui miros trebuie să aibă un nas și condițiile unui nas pentru a-l sesiza și discrimina drept miros? Sau de ce mirosul nu se manifestă față de ochi sau urechi? Căci, dacă florile și mirosul ar avea o natură proprie, întregul spațiu ar fi un singur parfum. Iar dacă mirosul florilor și-ar avea sursa nu în nas, ci în spațiul vid dintre nasul tău și flori, atunci tu ar trebui să spui că mirosul vine de undeva și merge altundeva, de vreme ce el apare și dispare și se

ascunde în spațiul vid, și nu l-ai mai putea
numi spațiu vid. Să fii convins, acesta este
spațiu vid, iar prin mirosirea florilor, percep-
ția universală a fost trezită din somnul fără
vise din profunzimile minții esențiale, iar
simțirea mirosului a fost făcută manifestă,
în acord cu condiția individuală a nasului.
Ananda, această simțire a mirosului este un
semn al condiției bolnave a ceții morbide pe
care noi o numim „nas bun" și care a fost
esențială pentru a face din ființele conștiente
păcăliții demni de milă ai falselor mirosuri
încă din timpul neînceput, făcîndu-le să se
întoarcă și să facă lucrurile într-o ordine
inversă. La fel stau lucrurile și cu percepția
gustului, ea este falsa percepție a limbii.

— Cum așa, Stăpîne?

— Ananda, ce gust are pentru bolul de
lemn sosul de curry? Ananda, limba, și nu
percepția intrinsecă a minții, este cea supusă
greșelii. Un om cu limbă bolnavă simte un
anumit gust ca de cîrpă, dar nu mintea lui
esențială imperturbabilă a creat gustul, ci
mintea-creier discriminatoare este bolnavă,
în acord cu limba. În același mod, o limbă
sănătoasă simte aroma, care este imaginară,
în spațiul vid. Ca să știi, tot ceea ce guști
cu limba ta este un val fals din cauză că
limba ta este investită în mod firesc cu falsa
percepție a mirosului. Lucrurile stau așa cu
limba ta încă din timpul neînceput; însuși
faptul că ai o limbă face parte din karma ta,
moștenirea unor fapte ignorante săvîrșite
altundeva. Dar, Ananda, nu fi tulburat. De
vreme ce e doar o problemă de timp ca tu

să te desparți de această limbă, atunci deja
te-ai despărțit de ea. Cînd sosul de curry
vine în contact cu palatul tău și, fie că este
palatul tău sau al meu, amîndoi simțim iuți-
mea lui, elementele foarte schimbătoare și
mirodeniile lor sînt primite de papilele gus-
tative ale limbii, apare percepția aromei și,
conform energiilor obiceiurilor noastre, spu-
nem că are gust „bun" sau gust „rău", dar
unde își are sursa acest așa-numit gust?
Ananda, este o aromă complet falsă și fan-
tastică. Și de ce? Pentru că, dacă acest
gust și-ar avea sursa în limbă, în mod firesc
aceasta nu ar avea nevoie de întîmplarea
sosului pentru a simți aroma lui, dar noi
vedem că asta se întîmplă doar atunci cînd
sosul ajunge în gură. Sau dacă gustul și-ar
avea sursa în sos, cum ar ști atunci limba
mai mult decît bolul de lemn? Ananda, aroma
este o fantezie în spațiul vid, iar prin gusta-
rea sosului, percepția universală a fost trezită
din somnul fără vise din profunzimile minții
esențiale, iar gustul a fost făcut manifest, în
conformitate cu limba individuală. Ananda,
gustul este un semn al condiției bolnave a
ceții morbide pe care noi o numim „limbă
bună" și care a fost esențială pentru a face
din ființele conștiente păcăliții demni de milă
ai falselor gusturi încă din timpul neîn-
ceput, provocîndu-le suferință. La fel stau
lucrurile și cu percepția gîndirii, ea este falsa
percepție a creierului.

— Cum așa, Stăpîne?

— Ananda, creierul, și nu percepția intrin-
secă a minții, este cel supus erorii. Un om

cu creier bolnav crede că capul lui s-a trans-
format într-un spiriduș, dar nu mintea lui
esențială, imperturbabilă și perfect clară este
cea care a creat gîndirea, ci mintea-creier
discriminatoare este bolnavă, în acord cu
creierul. În același mod, creierele sănătoase
generează gînduri, care sînt imaginare, în
spațiul vid. Ca să știi, tot ceea ce concepi cu
creierul tău este un val fals deoarece creierul
tău e investit în mod firesc cu falsa percep-
ție a gîndirii discriminatoare. Ananda, înțe-
legerea de sine intuitivă a înțelepciunii nobile
care vine împreună cu inteligența trans-
cendentală ce dezvăluie mintea adevărată și
esențială, care a fost întotdeauna o activitate
cu neputință de conceput a naturii-Buddha
a purității ce ajunge pretutindeni și întot-
deauna – cu alte cuvinte, acel ceva ce are loc
atunci cînd o ființă conștientă vede Lumina
care a fost ascunsă anterior de creierul său,
așa cum un nor ascunde luna, nu este o
gîndire discriminatoare individualizată ce apare
în creierul acelei bule cunoscute drept sinele
lui Ananda. Gîndirea falsă și febrilă care ne
conduce în întunericul ignoranței și al kar-
mei, însăși percepția creierului, a fost astfel
încă din timpul neînceput; însuși faptul că
ai un creier și că el a fost creat odată cu
așa-numita ta naștere face parte din karma
ta, moștenirea unor fapte condiționate, impure
săvîrșite altundeva din neștiință. Dar, Ananda,
nu fi tulburat. De vreme ce e doar o problemă
de timp ca tu să te desparți de acest creier,
atunci deja te-ai despărțit de el. Din cauza
concepțiilor opuse, duale și prin urmare false

și condiționate ale apariției și disparației, creierul nostru distinge gînduri. La fel ca ochii sănătoși ce creează inflorescențe fantastice pe cer, care, cu toate acestea, nu țin nici de ochi și nici de cer și sînt cu totul închipuite, creierul creează gînduri care vin și pleacă și care nu țin de creier și nici de orice altceva, fiind cu totul închipuite. Unde își au sursa acele milioane de gînduri care trec ca într-o paradă continuă în cele Șapte Tipuri de Iuțeală prin amfiteatrul întunecat al creierului tău? Ananda, fiecare dintre aceste miliarde de bule are o singură esență, esența minții, și este un gînd complet fals și fantastic. Și de ce? Pentru că, dacă un gînd trecător își are sursa în creier, iar gîndirea ar ține de creier, de ce ar trebui el să dispară și să lase locul altor milioane de gînduri asemenea lui, fiecare fiind un val suplimentar, efemer și urmînd a fi în curînd destrămat, precum, de pildă, un gînd de a face o călătorie, care este urmat imediat de un gînd legat de ce vei mînca la cină. Acestea sînt, cu siguranță, visuri reale, dar, Ananda, ele sînt visuri! Sau, dacă un gînd își are sursa oriunde altundeva în afara creierului, atunci, presupunînd că nu există nici un creier, ar fi limpede că gîndul nu ar putea exista independent de creier, ceea ce înseamnă același lucru ca și cum ai spune că gîndul este complet fals și fantastic. Să fii sigur, totul este un țesut fantomatic din spațiul vid, iar prin discriminarea apariției și disparației gîndurilor în creierul tău, percepția universală a fost trezită din somnul fără vise

din profunzimile minții esențiale, iar gîndirea gîndurilor a apărut în conformitate cu
condițiile individuale tulburi ale creierului.
Ananda, gîndirea gîndurilor este un semn al
condiției bolnave a ceții morbide pe care noi
o numim „minte bună" și care a fost esențială pentru a face din ființele conștiente păcăliții demni de milă ai falselor gînduri încă din
timpul neînceput, făcîndu-le să acționeze în
direcția morților și renașterilor și perpetuînd
astfel înrobirea lor circulară față de roata
existenței dureroase. Cei care au atins iluminarea și au încetat să observe ceea ce
nu există în mod necesar, adică existența
însăși, pe care ei o văd în mod clar ca pe o
bulă ce, de fapt, a explodat deja, sînt ca
treziți dintr-un somn, iar viața lor trecută
pare doar un vis.

Deși, în inima lui, Ananda era conștient
în mod implicit și cu adevărat de semnificația
acestei învățături că cele șase simțuri sînt
false și fantastice, în mintea-gîndire nu solu
ționase încă dilemele speculative referitoare
la soliditatea și substanțialitatea aparente
ale unor elemente precum pămîntul, apa,
focul și vîntul și la transformările lor continue, care, potrivit învățăturii anterioare a
Stăpînului său, erau manifestări perfect imaginare ale minții esențiale nelimitate și nimic
altceva.

Așa că a întrebat respectuos în legătură
cu acest subiect, iar prin tăcerea și atenția
lui s-a arătat pregătit pentru învățătura Celui
Binecuvîntat.

Buddha a spus:

— Ananda, este exact cum ai spus, toate varietățile și schimbările din această lume cu care cele șase simțuri subiective par să aibă contact obiectiv sînt manifestate prin intermediul combinării și armonizării celor patru mari elemente (pămînt, apă, foc, aer); mai există alte trei mari elemente, și anume spațiul, percepția și conștiința, ajungînd, în total, la șapte mari elemente. Hai să începem cu elementul pămînt. De ce este pămîntul o bulă? Ananda, este oare potrivit în acest caz să întrebăm dacă mijlocul unei bule este vid sau nevid? Pentru că pămîntul este alcătuit din firișoare minuscule de praf care pot fi analizate pînă la nivelul atomului și al atomului atomului, la infinit, fiecare atom fiind asemănător universului nostru, universului și universului acestui univers, astfel încît înțelepții știu că în micile gene ale ochilor există universuri mai numeroase decît toate firele de nisip din albia Gangelui. Ananda, ce se întîmplă, oricum, în aceste spații vaste și fantomatice? Privește cu atenție! Privește fix dincolo de înfățișarea lucrurilor și nu vei vedea decît marea inimă a compasiunii tuturor acelor Buddha din vremurile vechi, de dincolo de credință. Aceasta este Yathabhutam, vederea cu adevărat a lucrurilor. Să ne gîndim la natura elementului pămînt. Într-o formă primitivă și neșlefuită, acesta acoperă globul, dar într-o formă foarte rafinată el este praful minuscul al spațiului și chiar tot ceea ce văd ochii poate fi redus la elementele lui fundamentale, astfel că tot ceea ce este văzut ca înfățișare este pămînt.

Ar trebui să știi, Ananda, că, dacă s-ar
încerca reducerea acestui pămînt, a acestui
praf minuscul al spațiului, la puritatea și
vidul spațiului, din această puritate de necon-
ceput s-ar manifesta și fenomenul vederii.
Ananda, natura intrinsecă a pămîntului este
vidul real al spațiului, vacuumul adevărat;
în timp ce natura intrinsecă a spațiului este
pămîntul real, adevărata esență. În Pîntecele
lui Tathagata, al nenașterii esenței nenăs-
cute a tuturor lucrurilor, care este realitatea
ultimă și supremă, spațiul și priveliștile au
o prospețime și o puritate perene, străbă-
tînd întregile universuri fenomenale, și se
manifestă pentru totdeauna în mod spon-
tan și desăvîrșit, în acord cu cantitatea de
nevoie-karma acumulată în activitatea con-
știentă de ființele simțitoare, care nu sînt
decît forme demne de milă ale ignoranței în
ceea ce este asemenea unei viziuni și unui
vis care a luat sfîrșit cu mult timp în urmă.
Cu toate acestea, oamenii din lume, giganți
fantomatici dinăuntrul minții, ignorînd prin-
cipiul care le guvernează existența, devin
nedumeriți în încîlceala de cauze și condiții
și naturalism, cred că pămîntul poartă sem-
nele unei naturi inerente, doar a lui, și îl
numesc „natural" și „Mama Natură", cu toți
arborii mentali independenți de trupurile lor,
ei cred că el există datorită unor cauze pre-
cum crearea de către un Sine Creator auto-
creat și conștient de sine, care i-a făcut după
chipul său, și că existența lor este supusă
condițiilor „timpului", atomilor, anotimpuri-
lor, intervențiilor celeste, destinului personal,

toate acestea constituind în întregime discriminări ale conștiinței lor mentale și cuvinte pur figurative care în realitate nu au nici o semnificație. Ananda, de unde vine acest praf minuscul, acest pămînt, și cum rezidă el aici? E ca și cum cineva ți-ar fi dat dintr-odată o provizie nelimitată și ți-ar fi spus: „Cît pămînt vrei? Cîtă vedere vrei?". Însă tu nu voiai cu adevărat asta. Pretutindeni este locul în care pămîntul își are originea. Pămîntul se supune și pămîntul este pretutindeni. Cu alte cuvinte, pămîntul este dovada faptului că proprietățile și combinațiile moleculare ajută întotdeauna la apariția pămîntului. Pămîntul reacționează la combinații pe care noi le putem înțelege prin analizarea proprietăților moleculare, dar aceste combinații nu sînt locul originii lui sau cauza lui. Care era condiția inițială, înainte ca ea să fie atrasă și combinată și să devină pămînt? Mintea esențială este esența și sursa fenomenelor pămîntului.

Ananda i-a spus lui Buddha:

— Te rugăm, vorbește-ne despre elementul apă, Nobile Stăpîn.

Cel Binecuvîntat a răspuns:

— De ce este apa un vis, Ananda? Este oare potrivit în acest caz să întrebăm dacă un vis e real sau ireal? Ananda, hai să luăm în considerare natura elementului apă. Prin natura ei, apa este efemeră, fie că formează curentul rîurilor, fie valurile mării. Cînd soarele se înalță în zori și înfierbîntă ceața, stropii de ceață se așază pe fundul cupei. Ce crezi tu despre asta, Ananda? Vine apa din

ceață sau vine din spațiu, sau de fapt vine
din soare? Dacă ar veni din soare, atunci de
fiecare dată cînd soarele strălucește ar fi apă
pretutindeni, dar în realitate noi vedem că
trebuie de asemenea să existe ceață. Dacă
ar veni din ceață, atunci de ce ar trebui să
aștepte pînă la răsăritul soarelui pentru a se
condensa în apă? Dar dacă ai avea o astfel
de ceață și din ea nu ar apărea nici un pic de
apă, asta ar dovedi că apa nu vine din soare.
Dacă apa vine din spațiul vid dintre soare și
ceață, atunci, dat fiind că spațiul e nemăr-
ginit și dacă apa ar fi deopotrivă nemărginită,
toate ființele conștiente de pe pămînt sau din
cer ar fi în pericol de a se îneca. Dacă ar fi
să spui că apa vine din toate trei împreună,
ai spune că apa își are sursa în soare, în
ceață și în imensul spațiu dintre ele, ceea ce
înseamnă trei surse. De unde vine apa? Cu
siguranță, ea nu poate veni de nicăieri. Și
apoi, din nou, dacă vom considera că oriunde
ceața ar sta la soare într-un anumit loc acolo
ar apărea apa, presupunînd că există ceață
peste tot în lume și apa apare pretutindeni,
ce ar însemna asta? Ananda! De ce se întîm-
plă că rămîi tot în ignoranța cu privire la
faptul că natura intrinsecă a apei este vidul
adevărat, în timp ce natura intrinsecă a spa-
țiului este adevărata esență-apă. În realitatea
Vidului Strălucitor care este esența minții,
atît apa, cît și spațiul sălășluiesc în prospe-
țime și puritate și în esență există pretutin-
deni, în toate universurile, și sînt manifestate
liber și în concordanță perfectă cu acumu-
larea și moștenirea karmei prin activitatea

conștientă a ființelor simțitoare. Cu toate acestea, oamenii acestei lumi, ignorînd asta și considerînd apa ca fiind făcută să apară în mod exclusiv prin intermediul unor cauze și condiții sau în mod spontan prin propria ei natură, au devenit nedumeriți. Pe de altă parte, toate aceste presupoziții false și prejudecăți sînt pur și simplu discriminări făcute de propria lor conștiință mentală și sînt doar cuvinte metaforice fără nici o bază în realitate. De unde vine apa și cum rezidă ea aici? Pretutindeni este locul în care își are ea originea; cu alte cuvinte, apa reacționează la combinații precum condensarea ceții la răsăritul soarelui, dar această combinație nu este locul de origine al apei. Mintea esențială este esența și sursa fenomenelor apei.

Ananda i-a spus Celui Binecuvîntat:

— Te rugăm, vorbește-ne, Nobile Stăpîn, despre elementul foc.

Cel Binecuvîntat a răspuns:

— De ce este focul o idee, Ananda? Este oare potrivit în acest caz să întrebăm dacă un gînd a apărut sau a dispărut? Ananda, hai să ne gîndim la elementul focului. Focul nu are propria natură individuală, dar este dependent de alte considerente. Dacă ar fi să privești spre orașul Sravasti la momentul la care oamenii se pregătesc să își prepare masa de amiază, vei vedea cum fiecare gospodărie își pune lentila în lumina soarelui pentru a aprinde focul. Calitatea focului nu este creată cu ajutorul combinării și armonizării lentilei, a amiezii și a surcelelor de pelin. De ce? Pentru că, în timp ce cineva

ţine lentila în arşiţa luminii soarelui pentru
a aprinde focul, oare focul vine din sticlă,
din fibrele de pelin pe care căldura concen-
trată le aprinde sau de la soare, Ananda?
Dacă focul vine de la soare şi aprinde fibrele
de pelin, de ce nu este aprinsă, de asemenea,
întreaga pădure de arbuşti de pelin? Dacă
vine din lentile şi este suficient de fierbinte
pentru a aprinde pelinul, de ce nu este arsă
lentila însăşi? De fapt, nu apare nici un foc
pînă cînd mîna noastră nu ţine lentila între
soare şi fibre. Din nou, Ananda, gîndeşte-te
cu atenţie. Iată anumite condiţii în a căror
prezenţă se produce focul; ţii o lentilă în
mînă, soarele îşi trimite lumina, fibrele de
pelin au crescut din pămînt, dar de unde
vine focul şi cum rezidă el aici? Nu se poate
spune că focul nu vine de nicăieri. Ananda!
De ce se întîmplă că rămîi în continuare în
ignoranţă cu privire la faptul că natura
intrinsecă a focului este vidul adevărat, în timp
ce natura intrinsecă a spaţiului este adevă-
rata esenţă-foc. În Pîntecele lui Tathagata,
atît focul, cît şi spaţiul sălăşluiesc în pros-
peţime şi puritate şi străbat toate universu-
rile şi sînt manifestate în mod liber şi în
concordanţă desăvîrşită cu moştenirea şi
acumularea karmei prin activitatea conşti-
entă a fiinţelor simţitoare. Ar trebui, prin
urmare, să ştii, Ananda, că oriunde oamenii
din lumea aceasta ţin în mînă o lentilă (sau
freacă un lemn uscat şi tare de alt lemn
uscat şi tare) este posibil să se aprindă focul,
iar cum focul poate fi aprins pretutindeni,
acolo este locul în care îşi are el originea.

Focul se supune și focul este pretutindeni. Dacă există condițiile, el se produce, dar nu condițiile sînt cele care îl manifestă; și nici nu apare în mod spontan în virtutea propriei naturi, deoarece, dacă ar fi așa, totul ar fi în flăcări pretutindeni și pentru totdeauna. Iar dacă pretutindeni și pentru totdeauna nu s-ar putea vedea altceva decît foc, în combinație cu circumstanțele prielnice care contribuie la apariția focului, ce ar însemna asta? Nu ar însemna asta, oare, că acest foc universal este Mintea Universală? Sau dacă pretutindeni și pentru totdeauna nimic în afară de apă nu ar fi văzut, în combinație cu circumstanțele propice care contribuie la a face apa să apară, ce ar însemna asta? Nu ar însemna asta, oare, că această apă universală este Mintea Universală? Dar în realitate există apă aici și foc dincolo, deoarece ele sînt manifestări condiționate, dependente și asamblate, iar cele două funcționează și se transformă reciproc în mod continuu, precum apa fiartă care este turnată peste gheață și care, în mod la fel de continuu, este înghețată iar. Și astfel acțiunea continuă. Dar oamenii acestei lumi, ignorînd asta și considerînd că focul se manifestă datorită unor cauze și condiții sau în mod spontan prin propria natură, au devenit nedumeriți. În același timp, toate aceste presupoziții false și prejudecăți sînt pur și simplu discriminări făcute de propria conștiință mentală și sînt doar niște cuvinte metaforice fără nici o bază în realitate. Ananda, în ce privește focul, este ca și cum el ar avea

natura murdăriei, natura esențială a mur-
dăriei nu este nici dezgustătoare, nici nedez-
gustătoare, dar cine va înfrunta această
realitate?

Ananda i-a spus Celui Binecuvîntat:

— Te rugăm, vorbește-ne, Nobile Stăpîn,
despre elementul vînt.

Cel Binecuvîntat a răspuns:

— De ce este vîntul o reflexie, Ananda?
E oare potrivit în acest caz să întrebăm dacă
o reflexie este permanentă sau neperma-
nentă? Ananda, hai să luăm în considerare
natura vîntului. El nu are nici o substanți-
alitate vizibilă și nu are nici o permanență,
fie cînd se află în mișcare, fie cînd e liniștit.
De exemplu, de fiecare dată cînd îmi mișc
mîna pe lîngă fața ta, o ușoară adiere a ei
trece peste aceasta. Ce crezi, Ananda, această
adiere ușoară care răspunde în mod liber și
în concordanță perfectă cu mișcarea mîinii
mele, asemenea unei reflexii într-o oglindă,
vine din mîna mea sau din aerul-spațiu din-
tre mîna mea și fața ta? Dacă ar veni din
mîna mea, atunci cînd mîna mea se odih-
nește liniștită în poală, unde este adierea?
Dacă vine din spațiul aerului, de ce eșarfele
tale atîrnă nemișcate? Mai mult, dat fiind că
natura spațiului e permanentă, adierea care
vine din spațiu ar trebui să bată constant.
Cum nu există nici o adiere, înseamnă asta
oare, de asemenea, că nu există nici un spa-
țiu? Dacă adierea vine și pleacă, atunci spa-
țiul ar trebui să aibă disparițiile și aparițiile
lui, morți și renașteri, și nu ar mai putea fi
numit spațiu. Dacă este numit spațiu, cum

poate el să producă vînt din vidul său? Dacă adierea pe care o simte cineva pe față vine din acea față, atunci adierea s-ar simți întotdeauna acolo. Ce dă naștere adierii și de unde exact vine ea? Adierea doarme în vid, eu o pot trezi prin mișcarea mîinii, dar originea adierii nu este în mișcarea mîinii mele, deoarece acolo ar trebui să revină originea adierii atunci cînd mîna mea e nemișcată? Mîna mea este spațiu vid, și adierea e pretutindeni. Dacă vîntul se produce pretutindeni, unde ar putea fi acel loc anume care este originea vîntului? Ananda! De ce se întîmplă că rămîi în continuare în ignoranță cu privire la faptul că în Tărîmurile Tusita, care sînt dincolo de concepțiile arbitrare de orice tip, fie că acestea se referă la existență sau nonexistență, natura intrinsecă a vîntului este vidul adevărat, în timp ce natura intrinsecă a spațiului este adevărata esență-vînt. Același lucru este valabil în cazul spațiului, care trebuie considerat drept al cincilea mare element. Ananda, natura spațiului nu posedă nici o formă, deoarece este un vid perfect clar pe care noi l-am redus, în mințile noastre muritoare, la ceva care stăruie între unele lucruri care par să existe, cum ar fi stelele și separația lor imaginară. Singurul mod în care spațiul e manifestat față de simțurile noastre este prin culori, praful minuscul din cer reflectă razele soarelui și noi vedem albastru, de pildă. Dar spațiul însuși este doar încă una dintre concepțiile noastre arbitrare și nu există nici măcar ceva de felul unui „spațiu vid", care ar implica faptul că

lucruri distincte precum planetele și lucruri
imaginare precum pereții unei găuri au exis-
tat cu adevărat vreodată. Cînd sapi un puț,
pămîntul adunat devine spațiu în pămînt. De
exemplu, Ananda, cînd este săpat un puț,
spațiul este manifestat la limita unui puț,
iar cînd toate cele zece colțuri ale univer-
surilor devin goale, spațiul vidului este mani-
festat și el în întregile universuri. Dacă
spațiul vidului se infiltrează perfect peste tot,
în toate cele zece colțuri ale universurilor,
atunci unde poate fi văzut și localizat spațiul
vidului? Dar lumea este în deplină ignoranță
și uimire din cauză că oamenii au considerat
întotdeauna spațiul vidului ca fiind manifes-
tat de cauze și condiții precum îndepărtarea
obiectelor, precum îndepărtarea țărînii din-
tr-o gaură, în timp ce natura intrinsecă a
spațiului este mereu ceea ce există acolo
dintotdeauna, iluminare adevărată, iar intui-
ția esenței este vidul real. Apariția țărînii nu
ascunde vidul spațiului, vidul spațiului nu
anihilează apariția țărînii. Ar trebui să observi
cu grijă dacă spațiul este produs din cine
știe ce loc nevăzut; și, rogu-te, ce este nevă-
zut? – sau dacă apare din ceva văzut în afară,
iar noi știm deja că percepția vederii este
falsă și fantastică! – sau el nici nu este pro-
dus, nici nu apare? Ananda, tu ignori faptul
că, în interiorul Pîntecelui lui Tathagata, spa-
țiul și Esența Iluminării sînt mereu în pros-
pețime și puritate, străbătînd pretutindeni în
întregile universuri fenomenale, și sînt mani-
festate în mod liber și perfect, în conformi-
tate cu cantitatea de karma acumulată de

activitatea conștientă a ființelor simțitoare.
Spațiul împreună cu pămîntul, apa, focul și
vîntul trebuie considerate drept cele Cinci
Mari Elemente, a căror natură esențială este
desăvîrșită și pe de-a-ntregul unitară, toate
aparținînd în egală măsură Pîntecelui lui
Tathagata, toate lipsite de morți și renașteri.
Ananda, amintesc Pîntecele lui Tathagata și
pe Tathagata (Așa-cum-este-ca-atare) pentru
a-ți atrage atenția asupra Misterului stră-
lucitor și perfect de dincolo de toate con-
cepțiile și învățăturile noastre demne de
milă. Chiar în timp ce îți vorbesc despre
acei Tathagata care stăruie mereu dincolo
de veniri și plecări, de învățătură și non-învă-
țătură, cuvintele mele sînt totuși asemenea
unui deget care arată spre adevăr și care nu
trebuie luat drept adevărul însuși. Esența
Adevărată, Adevărul a rămas de fapt prin
natura lui nedezvăluit, din cauza închipuirii
false a existenței înseși. Adevărul a fost
amintit de acei Buddha doar pentru că, fiind
o explicație a servituții față de și a emanci-
pării de acea figură de stil a „Existenței", el
este de asemenea doar o figură de stil. Ca să
spunem așa, Adevărul este atît de vast încît
îngăduie să se spună că nu există nici un
Adevăr. Nu există nici Adevăr, nici Non-Adevăr,
există doar esența. Iar atunci cînd intuim
esența a tot, o numim Mintea Esențială.
Ananda, al Șaselea Mare Element este per-
cepția. Noi ne gîndim la ea ca fiind percepție
a vederii, a auzului, a mirosului, a gustului,
a atingerii sau a gîndirii, dar ea este, în mod
intrinsec, O Singură Percepție și pură prin

natura ei. Cele șase organe de simț care par
să împartă percepția în șase tipuri de per-
cepție sînt precum șase noduri care par să
împartă o batistă de mătase în șase tipuri
de apariții noduroase, dar imediat ce dez-
legăm nodurile vedem că este doar o singură
batistă pură, asemenea singurei percepții
pure, indiferent cît de multe noduri am face
sau am desface la ea. Oriunde există ochi,
concepția arbitrară a strălucirii și întuneri-
cului și priveliști, acolo va apărea percepția
vederii; așa cum, oriunde este lovită creme-
nea, va lua naștere scînteia focului. Oriunde
există urechi, concepția arbitrară a mișcării
și nemișcării și sunete, acolo va lua naștere
percepția sunetului. Oriunde există nas, con-
cepția arbitrară a sensibilității și insensi-
bilității și mirosuri, acolo va lua naștere
percepția mirosului. Oriunde există limbă,
concepția arbitrară a caracterului schimbător
și a caracterului neschimbător și arome, acolo
va lua naștere percepția gustului. Oriunde
există trup, concepția arbitrară a contactului
și separării și atingere, acolo va lua naștere
percepția atingerii. Oriunde există creier, con-
cepția arbitrară a apariției și dispariției și
gînduri, acolo va lua naștere percepția gîn-
dirii. Asemenea celorlalte mari elemente, per-
cepție nu își are locul de origine în cauze,
condiții și combinații, ci ea reacționează la
acestea, se supune lor și este dirijată prin
ele ca printr-o conductă: și nu are nici natură
proprie, deoarece apare doar într-o formă
limitată, drept, de exemplu, percepție a gîn-
dirii, care este limitată și nepermanentă.

Dar esența percepției este perfectă și într-o unitate deplină cu esența vidă și perfectă a pămîntului, apei, vîntului, focului și spațiului (celelalte cinci) din Pîntecele lui Tathagata, lipsită de renașteri și morți. Natura intrinsecă a percepției este vidul real; natura intrinsecă a spațiului este esența-percepție reală. De unde vine percepția și cum rezidă ea aici? Percepția se supune și percepția este pretutindeni. Al Șaptelea Mare Element este conștiința. Ananda, hai să privim acele izvoare și iazuri din minunatul crîng Jetavana, oferit Frăției de piosul negustor Anathapindika. Conștiința sălășluiește în calm, străbătînd pretutindeni în întregile lumi fenomenale și cuprinzînd toate cele zece colțuri ale universurilor fără număr, dar la contactul ochilor noștri cu izvoarele și iazurile, *satori* apare sub formă de conștiință a percepției vederii izvoarelor și iazurilor. De ce pui încă întrebări în ceea ce privește locul în care ea există? Conștiința se supune, conștiința este pretutindeni, căci unde se duce această conștiință atunci cînd nu există nici un fel de priveliști și gînduri? Ananda, în mod firesc, nu ai știut niciodată că, în interiorul Pîntecelui lui Tathagata, natura esențială a conștiinței este iluminatoare și inteligentă, adică, de pildă, ea nu este nici conștientă de percepția vederii izvorului și heleșteielor, nici non-conștientă, ea este conștientă de Dharma Ne-lucrurilor. Ananda, vei spune oare că acea piatră și acel heleșteu sînt două lucruri diferite? Ar fi mai bine dacă ai spune că fiecare din ele este un Buddha și că noi nu avem nevoie decît de un Buddha, deoarece toate lucrurile

sînt Ne-lucruri, și că toate lucrurile sînt prin
urmare niște Buddha. Aceasta este Cunoaște-
rea Diamantului, tot restul este cunoaștere
despre valuri și baloane de săpun. Această
intuiție iluminată este adevărata ta Esență
a Conștiinței și este asemenea naturii intrin-
sece a spațiului.

La care Ananda și întreaga adunare, după
ce au primit această îndrumare minunată și
profundă din partea Stăpînului Tathagata și
după ce au ajuns la o stare de acord perfect
al minții și la o dezrobire completă a minții
de toate amintirile, gîndurile și dorințele, au
devenit liberi atît cu trupul, cît și cu spiritul.
Fiecare dintre ei a înțeles clar că spiritul
poate ajunge în toate cele zece colțuri ale
universului și că percepția vederii poate să
ajungă și ea în cele zece colțuri. Le era la fel
de clar ca și un fir de iarbă ținut în mînă.
Au înțeles că toate fenomenele de pe lume
nu erau decît spiritul lor minunat, inteligent
și originar, al Iluminării, trupurile lor fizice
născute din părinții lor păreau asemenea
unor fire de praf purtate prin spațiul liber al
celor zece colțuri ale universului. Cine ar fi
observat existența lor? Trupul lor fizic era
asemenea unui bob de spumă plutind dea-
supra unui ocean imens și nestrăbătut, nea-
vînd nimic distinctiv care să indice de unde
vine și, dacă ar dispărea, unde s-a dus. Și-au
dat seama foarte clar că dobîndiseră, în sfîr-
șit, propriul spirit minunat, un spirit care
era permanent și indestructibil.

Prin urmare, întreaga adunare, cu palmele
împreunate a adorație, și-a arătat supunerea
față de Stăpînul ei Buddha, cu cel mai mare

respect și sinceritate, ca și cum și-ar fi dat seama pentru prima oară de valoarea transcendentă a acestuia.

Apoi au cîntat împreună, lăudînd gloria Stăpînului lor Tathagata și exprimîndu-și sincerul devotament față de el.

Buddha a încheiat îndrumările spunînd:

— Ananda, în ce privește propriul trup, cînd îl privești te uimește să auzi cum cauzele și condițiile care acționează în combinație nu sînt nici cauza, nici ne-cauza lui. Ananda, tu nu datorezi apariția trupului tău în această lume doar semínței tatălui tău, pîntecelui mamei tale sau hranei: nu datorezi apariția trupului tău nici uneia dintre ele, dacă ar fi așa tu nu ai fi aici, și nici nu datorezi apariția trupului tău tuturor celor trei împreună, sămînță, pîntece și hrană. Trupul tău își datorează apariția acelui ceva care aștepta deja în liniște, puritate și vid și care a reacționat la acțiunea semínței, pîntecelui și hranei, iar dacă nu ar fi existat acțiunea, el nu ar fi reacționat și nu ar fi apărut, ci ar fi rămas ca atare, în Mintea Pură a Iluminării. Trupul tău este dovada doar a faptului că dacă sămînța este pusă în pîntece și hrana este asigurată, apare un trup. De ce? Dacă sămînța tatălui tău nu ar fi fost pusă în pîntecele mamei tale și hrănită, nu ar fi apărut nimic, ci ar fi rămas ca atare, în Mintea Iluminării. Spui că trupul tău își datorează apariția semínței tatălui tău? Cum se face că sămînța unui bărbat, din interiorul lui, nu dă naștere unui copil? Își datorează apariția pîntecelui mamei tale? Atunci

pîntecele femeilor ar da naștere unor astfel
de trupuri pretutindeni și pentru totdeauna,
în loc să trebuiască să aștepte inseminarea,
așa cum se întîmplă. Își datorează apariția
hranei? Atunci ai putea produce trupuri pre-
cum acestea aruncînd hrană în mare sau
pe un pat de pietre. Oare nu își datorează
apariția nici uneia dintre acestea? În lipsa
seminței, a pîntecelui și a hranei, trupul tău
nu ar fi apărut. Își datorează apariția tuturor
acestor trei împreună? Apariția trupului tău
se datorează celor Șapte Mari Elemente pe
care combinația nașterii le-a pus în mișcare,
le-a combinat și le-a transformat, dar aceste
elemente nu își au originea în acea combi-
nație, ci dincolo de ea, în propria lor Esență
Unică și Calmă. Trupul tău este doar un diri-
jor al unor elemente misterioase sălășluind
pretutindeni, care se adaptează perfect la
geneza și continuarea lui și reacționează în
modul lui, dar elementele însele sînt netul-
burate, nenăscute și nu sînt expuse distru-
gerii atunci cînd trupul este aruncat în focul
funerar și este ars. Un trup dovedește doar
că inseminarea unei femei de către un bărbat
contribuie la apariția trupurilor, adică acti-
vitatea renașterii, iar misterul este că tru-
pul este cu adevărat produs de minte și cu
adevărat independent de corporalitatea lui!
Acesta este motivul pentru care despre tru-
pul tău, fiind o simplă figură de stil, nu se
poate spune nici că e existent, nici nonexis-
tent, nici cauzat, nici ne-cauzat, deoarece în
Mintea Esențială a Iluminării care este trează
dincolo de orice concepție nici o astfel de
discriminare nu își are locul. În timp ce

privesc trupul tău, îmi dau seama că el este doar o inflorescență vizionară din vid, nu are nici o priză la Realitate. De unde vin elementele care îi dau trupului tău corporalitate, și cum rezidă ele aici? Ananda, ele vin de pretutindeni; aceasta este Marea Misterului. Ananda, trupul tău este ca un gînd, este o formă nepermanentă care se materializează pentru o vreme în esența permanentă a Minții. Esența gîndirii și esența Minții sînt una și aceeași, desigur, dar forma este doar o toană trecătoare care este complet ignorată în Esența Omniscientă a Minții pe care noi o numim Pîntecele lui Tathagata pentru scopul predării, ea nu este considerată nici drept existentă, nici nonexistentă. Cine ar observa-o? – precum o oglindă copilul înfumurat, Ananda?

Oamenii sfinți reuniți, fiecare dintre ei simțindu-se asemenea cuiva care a moștenit un palat magnific prin generozitatea unui Rege ceresc, dar pe care nu îl poate lua în posesie fără să treacă mai întîi prin ușa Iluminării în Camera Strălucitoare a Înțelepciunii Perfecte, greu de atins, s-au prosternat la picioarele Marelui Stăpîn și, cu Ananda ca purtător de cuvînt firesc al lor, l-au implorat să le dea și alte îndrumări sacre, în ceea ce privește punctul de plecare efectiv al devotamentului și practicii lor disciplinare, dorindu-și fără îndoială, fiecare dintre ei, să atingă inteligența și intuiția Stăpînului Buddha.

Ananda a încheiat spunînd:

— Te rugăm, Nobile Stăpîn, arată-ne cum să scăpăm de toate condițiile ademenitoare și astfel să ne încurajezi pe toți aceia dintre noi care sîntem încă arhați practicanți să ne concentrăm mintea asupra căii drepte.

Cel Binecuvîntat a răspuns, cu tonul compasiunii blînde și întristate, punîndu-și cu bunătate mîna pe capul lui Ananda:

— Ananda, în trupul tău există un element al durității, al pămîntului, există un element al fluidității, al apei, există un element al căldurii, al focului, și un element al respirației și mișcării, elementul vîntului. Trupul este în robie față de aceste Patru Mari Elemente, iar aceste patru constrîngeri împart mintea ta calmă, misterioasă, intuitivă și iluminatoare în astfel de compartimente precum senzațiile și percepțiile vederii, auzirii, gustării, mirosirii și atingerii, și ale concepțiilor și discriminărilor consecvente ale gîndirii, care fac ca mintea ta iluminată să cadă în cele cinci pîngăriri corespondente ale acestei lumi malefice, de la începutul ei, și care vor continua să facă astfel pînă la sfîrșitul ei. Care sînt aceste pîngăriri, Ananda? Care este natura lor? Să luăm în considerare diferența dintre apa proaspătă și pură de izvor și substanțe precum praful, cenușa și nisipul. Dacă acestea sînt amestecate, apa devine opacă și murdară. La fel este și cu cele cinci pîngăriri și mintea. Ananda, cînd privești în spațiul vast care se întinde dincolo de univers, natura spațiului și natura percepției vederii nu interferează una cu cealaltă, iar dacă se amestecă împreună nu există nici o linie despărțitoare care să le limiteze individualitatea. Dar dacă există doar spațiu vid, fără nici un fel de sori și planete în el, atunci spațiul își pierde substanțialitatea. De asemenea, concepția vederii privind în spațiu fără să fie nimic de văzut își pierde sensibilitatea. Dar, așa cum există acest fenomen fals a două concepții arbitrare – sori și planete care se mișcă în spațiu și percepția falsă a vederii, toate împletite împreună –, la fel există nenumăratele aparențe false ale diferențelor din universuri. Dat fiind că nu îți dai seama în mod clar și continuu că totul nu este decît o halucinație alcătuită din elemente ale minții, riduri ignorante de la suprafața ei, rămîi în continuare o victimă a acestei prime pîngăriri a Individuației, a „distingerii" vederii și percepției care este baza ignoranței. Aceasta este prima pîngărire, Pîngărirea Ignoranței Discriminatoare. Apoi, după ce ai perceput masa fenomenelor ca fiind un talmeș-balmeș de diferențe, procesele minții tale amestecate cu procesele trupului se împletesc împreună în false închipuiri care constituie cea de-a doua pîngărire, în care observi detalii și ajungi la concepții eronate despre diferențele de formă, fără a-ți da seama că substanța unei forme nu este diferită de substanța altei forme. Există vreo diferență între substanța luminii și substanța umbrei? Aceasta este a doua pîngărire, Pîngărirea Formei. Din nou, după ce ți-ai format noțiunea de formă și detalii, în concordanță cu procesele conștiente din interiorul minții tale și incluzînd intuiția ta pură, concepi o dorință sau aversiune față de aceste forme diferite. Aceasta este a treia pîngărire, Pîngărirea Dorinței. Din nou, după ce ai conceput dorința bazată pe noțiunea formei discriminate și după ce observi cum una duce la alta, aderi la aceste lucruri, fără să-ți dai seama ce sînt ele, anume iluzii obiective. Mintea ta este în mod continuu într-un proces de schimbare, de dimineață pînă seara, și de fiecare dată cînd gîndurile tale se schimbă, tu încerci să le manifești și să le perpetuezi printr-un anumit tip de activitate creatoare în lumea terestră. Și de fiecare dată cînd acțiunile tale, condiționate de Karma ta, iau formă, ele transformă de asemenea viețile conștiente. Aceste închipuiri false împletite determină ființele conștiente să se atașeze de lucrurile pe care ele le doresc. Dorința se dă drept prieten, dar în secret e un inamic. Aceasta este a patra pîngărire, Pîngărirea Atașamentului. În sfîrșit, percepțiile tale ale vederii, auzirii, atingerii, gîndirii, mirosirii și gustării nu implică nici o diferență de natură a lor în Esența pură a Minții și sînt adaptate reciproc, dar cînd sînt puse în opoziție unele cu altele, ele dezvăluie diferențe anormale, devin reciproc incompatibile. Astfel iau naștere conflicte interne și externe, care, deși imaginare și pur mentale, conduc la epuizare, suferință, îmbătrînire și decrepitudine. Aceasta este a cincea pîngărire, Pîngărirea Decrepitudinii, Bătrîneții, Bolii și Morții. Ananda, de ce suferi de pe urma decrepitudinii din cauză că te-ai atașat de dorința față de o anumită formă pe care nu ar fi trebuit să o individuezi niciodată? Ananda! De fiecare dată cînd, în timp ce practici meditația sfîntă, un gînd vagabond se vîră în

mintea ta calmă, verifică-l de la capăt, cu aju-
torul sitei celor cinci pîngăriri, vezi-l clar,
urmărește-i efectul decrepitudinii care îți dis-
truge liniștea și totul din cauza atașamentu-
lui față de el, care se datorează dorinței,
care se datorează formei, care se datorează
ignoranței discriminatoare. Același lucru este
valabil și pentru pasiunile malefice, atunci
cînd ele se nasc în Mintea ta în tensiunea
acțiunii, verifică pasiunea cu ajutorul sitei
celor cinci pîngăriri și întreabă-te: „Ananda,
de ce îți îngădui să cazi în suferință și decre-
pitudine atașîndu-te de dorința de a discri-
mina și de a pune stăpînire pe această formă
care este doar o idee imaginară în realitate?".
Ananda! Dacă dorești ca percepțiile tale sen-
zoriale și înțelegerea ta conștientă să fie în
armonie cu bucuria permanentă a purității
naturale a lui Tathagata, trebuie mai întîi
să smulgi aceste rădăcini ale morții și renaș-
terii care au fost sădite pe furiș de aceste
cinci tipuri de pîngăriri, anume pîngăririle
ignoranței discriminatoare, formei, dorinței,
atașamentului, decrepitudinii, și apoi să începi
practica concentrării atenției tale asupra
minții pure și esențiale a non-morții și
non-renașterii. Da, Ananda, stai așezat în
liniște, sub un copac sau oriunde te-ai afla,
închide ochii, respiră încet și senin, des-
tinde-ți ghemul din stomac, relaxează-te,
odihnește-te, amintește-ți Lumina și gîn-
dește-te: „Aceasta este mintea pură și esen-
țială a non-morții și non-renașterii, această
esență strălucitoare este realitatea sfîntă,
tot restul este un vis". Căci atunci cînd se

înțelege faptul că nimic nu este născut și nimic nu dispare, atunci nu mai există nici o modalitate de a admite existența și non-existența, iar mintea devine calmă. Cu ajutorul calmului minții tale ești în măsură să transfigurezi această minte falsă a morții și renașterii în Mintea Intuitivă adevărată și clară, iar prin asta să realizezi esența minții primordiale, iluminatoare și intuitivă. Ar trebui să faci din asta punctul de plecare al practicii tale. Dacă dorești să îți liniștești mintea și să îi redai puritatea ei originară, trebuie să procedezi ca și cum ai purifica un vas cu apă tulbure. Întîi o lași să stea pînă cînd sedimentele se depun pe fund, iar apa va deveni pură, ceea ce corespunde stării minții de dinainte ca pîngăririle pasiunilor malefice să o tulbure. Apoi separi cu atenție apa pură care este starea minții după ce cele cinci pîngăriri ale ignoranței, formei, dorinței, atașamentului și decrepitudinii au fost înlăturate cu totul. Cînd mintea va deveni calmă și concentrată într-o unitate perfectă, atunci toate lucrurile vor fi văzute nu în separarea lor, ci în unitatea lor în care nu există nici un loc pentru ca pasiunile malefice să intre și care este în deplină concordanță cu puritatea misterioasă și indescriptibilă a nirvanei. Ananda! Să nu crezi nici o clipă că, din cauză că gîndurile accidentale și momentane sînt oprite, mintea se oprește și ea. Este exact la fel ca sunetul accidental și momentan atunci cînd eu lovesc gongul, cînd sunetul se stinge și se lasă o tăcere perfectă, capacitatea ta de a auzi s-a stins și ea? Nu este potrivit ca tu să spui că, dacă gîndirea ta este separată de condiții arbitrare precum apariția și dispariția, moartea și renașterea, percepția gîndirii nu are nici o natură esențială proprie. Toate ființele conștiente, încă din timpul neînceput, au tînjit dintotdeauna după priveliști minunate, sunete muzicale, senzații beatifice, arome extraordinare și parfumuri încîntătoare, care să le umple mințile gînditoare cu gînduri nesfîrșite, făcîndu-le să fie mereu active, gîndindu-se că Mintea trebuie folosită, fără să-și dea seama vreodată că ea este imposibil de folosit; fără să-și dea seama vreodată că, prin natură, ea este pură, misterioasă și permanentă și Gol Divin, făcîndu-le astfel ca, în loc să urmeze calea permanenței, să sucombe celor cinci pîngăriri și să urmeze curentul morților și renașterilor trecătoare. În consecință, a existat un șir nesfîrșit de vieți, repetîndu-se mereu, pline de contaminări, nepermanență și suferință. Aceste vieți, Ananda, aceste forme sînt asemenea unor păsări moarte căzute la pămînt. Este potrivit în acest caz să întrebăm dacă forma este fericită sau nu? Ananda, dacă ai putea doar să înveți să te eliberezi din această robie față de morți și renașteri și de această teamă de nepermanență, și să înveți să-ți concentrezi mintea asupra naturii ei adevărate și permanente de Permanență, care este o activitate cu neputință de conceput, neavînd nimic de-a face cu timpul sau graba, deoarece ea aparține Celui-Care-Este-Deja-Bun (Sugata),

atunci eterna Strălucire te va ilumina și
toate percepțiile individualizate și discrimi-
nate ale fenomenelor obiective, organele de
simț, închipuirile false, sinele și non-sinele
vor dispărea, căci fenomenele minții-creier
care gîndește sînt doar lucruri goale și tre-
cătoare, emoțiile diferențiate ale conștiinței
tale muritoare sînt doar fenomene efemere.
Dacă poți învăța să ignori aceste două ilu-
zii fundamentale – morțile și renașterile și
teama de nepermanență – și să te agăți
strîns de Permanența pe care o percepe
Ochiul Dharmei, pe care pînă acum tu ai
considerat-o a fi o vedere instinctivă minoră
și ireală care nu are loc într-o lume aglo-
merată a faptelor, dar pe care acum o vezi
ca pe singura realitate, într-adevăr, iar
restul ca pe un spectacol de păpuși care
urcă și coboară în fugă muntele-Buddha,
atunci nu trebuie să ai nici o teamă de
eșec, Ananda, nici o teamă, într-adevăr, în
ce privește ajungerea la Iluminarea Supremă
și Sacră.

Dintr-odată a părut că toți copacii din
crîngul lui Jeta și toate valurile care clipo-
ceau pe malurile lacurilor lui cîntau muzica
Dharmei și toate razele încrucișate de stră-
lucire erau asemenea unei rețele splendide
bătute cu pietre prețioase și arcuindu-se
deasupra lor. O astfel de priveliște minunată
nu fusese niciodată imaginată de sfinții
credincioși strînși laolaltă, ea reducîndu-i la
tăcere și evlavie. Fără să-și dea seama, au
intrat în pacea beatifică a Samadhi-ului de
diamant, adică fiecare dintre ei a ascultat

imediat vuietul intens și misterios al tăcerii, toți cei 1.233, și deasupra lor au părut că se lasă ca o ploaie blîndă petalele moi ale multor flori de lotus diferit colorate – albastru și stacojiu, galben și alb –, amestecîndu-se toate unele cu altele și reflectîndu-se în spațiul liber al cerului, în toate nuanțele spectrului. Mai mult, toate diferențierile munților din mințile lor, precum și mările, rîurile și pădurile lumii suferind de Saha s-au amestecat împreună și au dispărut, lăsînd în urma lor doar unitatea împodobită cu flori a Cosmosului Primordial. În centru, așezat pe un lotus pur, l-au văzut pe Tathagata, Cel Deja Așa, Perla și Stîlpul lumii.

La care Manjusri s-a adresat Stăpînului său Buddha, spunînd:

— Binecuvîntate Stăpîn! De vreme ce Stăpînul meu a coborît din Tărîmurile Îngerilor în această lume suferindă a reîncarnării, el ne-a ajutat nespus prin minunata și iluminatoarea lui Învățătură. La început am primit această Învățătură cu ajutorul simțului nostru al auzului, dar atunci cînd devenim pe deplin capabili să ne dăm seama de Învățătură, ea devine a noastră cu ajutorul unei Facultăți Transcendentale a Auzului. Asta face ca trezirea și desăvîrșirea unei Facultăți Transcendentale a Auzului să fie de mare importanță pentru fiecare novice. Pe măsură ce dorința de a ajunge la Samadhi se adîncește în mintea oricărui discipol, el îl poate atinge, cu siguranță, prin intermediul Organului său Transcendental al Auzului.

La început, novicele poate să își concentreze
atenția asupra Sunetului Intrinsec al Rea-
lității care este absența sunetului, Auzul
Vidului Sublim, doar uneori sau în spații
închise, sau în mijlocul veghii lipsite de
adiere a nopții, cînd toate făpturile par să
doarmă, iar liniștea profundă și răsunătoare
îți umple urechea. El îl recunoaște de îndată
drept Auzul Etern care a avut loc în propria
lui Minte Esențială și pură a non-morții și
non-renașterii încă din timpul neînceput.
Stăpîne, în tăcere el aude cum o învățătură
își urmează cursul! Mai tîrziu, el învață să
o audă pretutindeni și în orice condiții.
Pentru multe kalpa – la fel de numeroase
precum particulele de nisip din fluviul Gange –
Avaloki Tesvara Buddha, Cel Care Aude și
Răspunde Rugăciunilor, Bodhisattva Celei
Mai Blînde Compasiuni, a manifestat Învățătura
Sacră Fără Cuvinte în toate tărîmurile-Buddha
din cele zece colțuri ale universului și a dobîn-
dit Puterile Transcendentale ale Libertății și
Netemerii nemărginite și a jurat să emanci-
peze toate ființele conștiente din servitutea
și suferința lor. Cît de dulce și misterios este
Sunetul Transcendental al lui Avaloki-Tesvara!
Este Sunetul Dumnezeiesc pur. Este mur-
murul reținut al mareei care acoperă țărmul.
Sunetul lui misterios aduce eliberare și pace
pentru toate ființele conștiente care, în
suferința lor, strigă după ajutor; le aduce o
senzație de permanență celor care caută cu
adevărat realizarea păcii nirvanei. În timp ce
eu mă adresez Stăpînului meu Tathagata, el

aude, în același timp, Sunetul Transcendental
al lui Avaloki-Tesvara. Este ca și cum, în
timp ce noi stăm în izolarea tăcută a prac-
ticii Dhyanei, ne-ar ajunge la urechi sunetul
unor bătăi de tobă, iar dacă minţile noastre
rămîn netulburate și calme la auzirea sune-
telor, aceasta este natura adaptării desă-
vîrșite. Trupul creează senzaţie venind în
contact cu ceva, vederea ochilor este zăgă-
zuită de opacitatea obiectelor, iar lucrurile
stau similar cu simţul mirosului și gustului,
dar diferit cu mintea-creier discriminatoare.
Gîndurile apar, se amestecă și trec. În ace-
lași timp, ea este conștientă de sunetele din
încăperea alăturată și de sunetele care au
venit de la mare depărtare. Celelalte simţuri
nu sînt atît de rafinate precum simţul auzu-
lui; natura auzului este adevărata realitate
a transcenderii. Esenţa sunetului este sim-
ţită atît în mișcare, cît și în tăcere, ea trece
de la existent la nonexistent. Cînd nu există
nici un sunet, se spune că nu există nici
auzire, dar asta nu înseamnă că auzul și-a
pierdut disponibilitatea. Într-adevăr! Cînd nu
există nici un sunet, auzul este cît se poate
de vigilent, iar cînd există sunet, natura auzu-
lui este cel mai puţin dezvoltată. Dacă vreun
discipol poate fi eliberat de aceste două ilu-
zii ale apariţiei și dispariţiei, adică de moarte
și renaștere, el a atins adevărata realitate a
permanenţei. Chiar și în vis, cînd orice gîn-
dire intră în repaus, natura auzului este încă
vigilentă. Este asemenea unei oglinzi a ilu-
minării care este transcendentă faţă de

mintea gînditoare, deoarece ea este dincolo
de sfera conștientă atît a trupului, cît și a
minții. În această lume Saha, doctrina Sune-
tului Transcendental, intrinsec, poate fi răs-
pîndită pretutindeni, dar ființele conștiente
rămîn, în ansamblul lor, ignorante și indife-
rente față de propriul auz intrinsec. Ele reac-
ționează doar la sunete fenomenale și sînt
tulburate atît de sunetele muzicale, cît și de
cele disonante. În ciuda minunatei memorii
a lui Ananda, el nu a fost în măsură să evite
să apuce pe o cale greșită. A plutit în derivă
pe o mare necruțătoare. Dar dacă el și-ar
îndepărta doar mintea de la curentul în derivă
al gîndurilor, și-ar putea recupera curînd înțe-
lepciunea sobră a Minții Esențiale. Ananda!
Ascultă-mă! M-am bazat întotdeauna pe învă-
țătura Stăpînului Buddha ca să mă ducă la
Sufletul Dharma indescriptibil al Samadhi-ului
de Diamant. Ananda! Ai căutat învățătura
secretă din toate tărîmurile-Buddha fără să
ajungi mai întîi la emanciparea față de dorin-
țele și intoxicările propriilor tale contaminări
și atașamente, cu rezultatul că ai adunat în
memoria ta o imensă cantitate de cunoștințe
lumești și ai construit un turn de erori și
greșeli. Ai deprins Învățăturile ascultînd
cuvintele Stăpînului Buddha și apoi încre-
dințîndu-le memoriei. De ce nu ai învățat de
la tine însuți ascultînd sunetul intrinsec al
Dharmei dinăuntrul propriei minți și apoi
practicînd reflecția asupra lui? Percepția
auzului transcendental nu este produsă prin
vreun proces natural aflat sub controlul
propriei tale voințe. Uneori, cînd reflectezi

asupra auzului tău transcendental, un sunet întîmplător îți solicită dintr-o dată atenția, iar mintea ta le desparte, le discriminează și este perturbată în acest mod. Imediat ce poți ignora sunetul fenomenal, noțiunea unui sunet transcendental ia sfîrșit, iar tu vei realiza auzul intrinsec. Imediat ce această percepție senzorială a auzului revine la originea ei și îi înțelegi în mod clar falsitatea, mintea înțelege instantaneu falsitatea tuturor percepțiilor senzoriale și este emancipată neîntîrziat din robia vederii, auzirii, mirosirii, gustării, atingerii și gîndirii, căci acestea sînt toate deopotrivă viziuni iluzorii și amăgitoare ale irealității, și toate cele trei mari domenii ale existenței sînt văzute ca fiind ce sînt ele cu adevărat, flori imaginare din aer. Imediat ce percepția înșelătoare a auzului este emancipată, toate fenomenele obiective dispar și Mintea ta Intuitivă a Esenței devine perfect pură. Imediat ce ai ajuns la această Puritate Supremă a Minții-Esență, Strălucirea ei Intrinsecă va lumina spontan și în toate direcțiile, iar în timp ce tu stai în meditație liniștită, mintea va fi în perfectă concordanță cu Spațiul Pur. Ananda! Cînd te vei întoarce la lumea fenomenală, aceasta va părea asemenea unei viziuni dintr-un vis. Iar experiența ta cu fecioara Pchiti va părea asemenea unui vis, și propriul tău trup își va pierde soliditatea și permanența. Va părea ca și cum fiecare ființă umană, bărbat și femeie, ar fi doar o manifestare a vreunui magician abil, toate activitățile sale fiind sub controlul acestuia. Sau fiecare ființă umană va părea asemenea unei mașini automate care, odată pornită, merge de una singură, dar, imediat ce ea își pierde puterea motrice, nu doar că toate activitățile ei încetează, dar însăși existența lor dispare. La fel este și cu cele șase organe de simț, care sînt fundamental dependente de un unic spirit unificator și iluminator, dar care au ajuns, din ignoranță, să fie împărțite în șase compuși și concordanțe semi-independente. Dacă un organ se emancipează și se întoarce la originea lui, acestea sînt atît de strîns unite în originea lor fundamentală, încît toate celelalte organe își vor înceta și ele activitatea imediat. Și toate impuritățile lumești vor fi purificate printr-un singur gînd, iar tu vei ajunge la puritatea minunată a Iluminării perfecte. Dacă rămîne o contaminare minusculă a ignoranței, trebuie să exersezi cu toată seriozitatea, pînă cînd atingi Iluminarea perfectă, adică Iluminarea unui Tathagata. Toți Frații din această Mare Adunare, și tu, Ananda, ar trebui să inversați percepția externă a auzului și să ascultați lăuntric sunetul perfect unificat și intrinsec al propriului spirit-esență, căci imediat ce veți ajunge la acordul desăvîrșit, veți ajunge la iluminarea supremă. Aceasta este singura cale către nirvana, care a fost urmată de toți acei Tathagata ai trecutului. Mai mult, toți bodhisattva-mahasattva din prezent și toți cei din trecut trebuie să spere la iluminarea desăvîrșită. Nu doar că Avaloki-Tesvara a ajuns la iluminarea desăvîrșită în epoci de mult apuse prin această Cale de Aur, ci în prezent eu însumi sînt unul dintre ei. Stăpînul ne-a întrebat ce mijloace eficiente a folosit fiecare dintre noi pentru a urma această Nobilă Cale către Nirvana. Eu depun mărturie că mijloacele folosite de Avaloki-Tesvara sînt cele mai eficiente, de vreme ce toate celelalte mijloace trebuie să fie sprijinite și îndrumate de Puterile Transcendentale ale Stăpînului Buddha. Chiar dacă cineva își abandonează toate angajamentele sale lumești, el totuși nu poate întotdeauna să practice cu ajutorul acestor diverse mijloace; ele sînt mijloace speciale, potrivite discipolilor începători și avansați, dar pentru neinițiați, această metodă comună de concentrare a minții asupra simțului auzului, îndreptîndu-l spre interior prin această Ușă a Dharmei pentru a auzi Sunetul Transcendental al Spiritului lui Esențial, este foarte potrivită și înțeleaptă. O, Stăpîne Binecuvîntat! Mă plec în fața Pîntecelui Intrinsec al Stăpînului meu Tathagata, care este imaculat și inefabil în libertatea lui perfectă față de orice contaminare sau întinare, și mă rog la Stăpînul meu să își extindă compasiunea nemărginită de dragul tuturor discipolilor lui viitori, astfel încît eu să pot continua să îi învăț pe Ananda și pe toate ființele conștiente ale acestei kalpa să aibă încredere în această minunată Ușă a Dharmei către auzul intrinsec al propriei minți esențiale, care poate fi atins cu certitudine prin acest foarte eficient mijloc. Dacă oricare discipol ar urma pur și simplu acest mijloc intuitiv de concentrare a minții prin practicarea Dhyanei asupra acestui organ al auzului transcendental, toate celelalte organe de simţ ar intra în curînd în armonie perfectă cu el şi, astfel, prin acest unic mijloc al auzului intrinsec, el ar ajunge la cuprinderea perfectă ce nu dispare a minţii lui adevărate şi esenţiale.

Apoi Ananda şi întreaga mare adunare au fost purificaţi la trup şi minte. Au dobîndit o înţelegere profundă şi o intuiţie clară a naturii iluminării Stăpînului Buddha şi a experienţei celui mai înalt extaz în meditaţie Samadhi. Erau încrezători asemenea unui om care e pe punctul de a pleca cu o treabă importantă într-o ţară îndepărtată, deoarece ştiau traseul pe care vor pleca şi se vor întoarce. Toţi discipolii din această mare adunare şi-au realizat propria esenţă a minţii şi, în consecinţă, şi-au propus să trăiască izolaţi de toate complicaţiile şi întinările lumeşti şi să se menţină mereu în strălucirea pură a Ochiului Dharmei.

Stăpînul Buddha le-a recomandat, în concluzie, următoarele reguli de Disciplină celor care, fără îndoială, doreau să ajungă la stadiul de Mare Fiinţă Înţeleaptă (bodhisattva-mahasattva) în această viaţă.

1. Concentrează-ţi mintea.
2. Urmează preceptele.
3. Practică Dhyana.

„Concentrează-ţi mintea" înseamnă să rămîi înţelept şi pur, în mod continuu, să vezi lucrurile aşa cum sînt şi să nu te laşi păcălit crezînd în „realităţile" lor respective, şi astfel să încetezi să mai fii ataşat de ele. Asta este asemenea unui om care se trezește în mijlocul nopții în fața adevărului suprem și definitiv și dă din cap cu satisfacție, spunînd: „Totul este același lucru". El se trezește din somnul fără vise al golului perfect unificat în care nu exista nici o astfel de concepție precum „unificarea perfectă" și vede că toate ființele create sînt același lucru în privința vidului, că ele sînt manifestări de suprafață într-o mare perfect vidă a Realității Unice, că ele nu sînt părți individualizate, ci o singură și întreagă Este-itate, toate Același.

„Urmează preceptele" înseamnă să aderi strict la cele patru reguli principale ale purității, astfel încît, discipolul eliberîndu-se de intoxicări, devine liber de suferință și, prin urmare, devine liber de samsara și de toate concepțiile ei profanatoare, întristate și amăgitoare ale morții și renașterii. Preceptele se bazează pe bunătate față de toate făpturile vii și sînt auto-purificatoare. „O, călugări, goliți această barcă!!! Dacă ea va fi golită, va pluti iute; dacă ați îndepărtat pasiunea și ura, veți merge în nirvana."

Cele Patru Precepte sînt:

1. Trezește-te, înfrînează dorința sexuală, dorința sexuală duce la multiplicitate, vrajbă și suferință.
2. Trezește-te, înfrînează tendința către răutate față de ceilalți, răutatea este ucigașul vieții înțelepciunii.
3. Trezește-te, înfrînează lăcomia și furtul, ar trebui să îți privești trupul nu ca fiind al tău, ci ca fiind una cu trupurile tuturor celorlalte ființe conștiente.

4. Trezeşte-te, înfrînează nesinceritatea
   secretă şi minciuna, nu ar trebui să
   existe nici un fel de falsitate în viaţa
   ta, nu există nimic ascuns într-o strop
   de rouă care se sparge.

„Practică Dhyana" înseamnă să îţi faci o
practică regulată din a medita în transa
sfîntă, astfel încît să ajungi la Extazul în
Meditaţie Samadhi şi la Graţiile şi Puterile
Spirituale Samapatti care sînt stările de eli-
berare din această lume samsarică, aşa cum
arată toţi Cei Măreţi şi Treziţi din trecut,
prezent şi viitor.

Cînd Stăpînul Buddha şi-a terminat îndru-
marea, care este consemnată în Sutra
Surangama, mare bucurie a apărut în inimile
tuturor celor prezenţi, bhikshu şi bhikshuni,
discipoli mireni de ambele sexe, Mari Fiinţe
Înţelepte, Buddha-Practicanţi, Sfinţi, Arhaţi
şi Regi puternici proaspăt convertiţi. Toţi
şi-au arătat supunerea sinceră şi umilă faţă
de Buddha şi au plecat cu inimi recunoscă-
toare şi bucuroase.

Devadatta a devenit faimos după aceea
prin încercarea de a înfiinţa o nouă sectă a
lui, cu reguli mai severe şi mai stricte decît
cele prescrise de Buddha. A dobîndit o mare
abilitate în magia lumească, inclusiv în
hipnotism. Pe aceasta a practicat-o pe tînă-
rul prinţ Ajatasutru, fiul piosului Bimbisara,
făcîndu-l să ia hotărîrea de a-şi ucide tatăl.
După ce a devenit rege al Magadhei, Ajata-
sutru a pus să se construiască o mănăstire
specială pentru Devadatta. Acesta a avut

cîştig de cauză şi l-a făcut pe noul rege să
îl ajute în a-l alunga pe Gautama de la con-
ducerea Frăţiei Sangha, pretinzînd că bătrîne-
ţea îl copleşise pe Cel Binecuvîntat.

Ignorînd această nebunie, Buddha a spus
despre vărul său:

— Este asemenea cuiva care încearcă să
polueze oceanul cu un borcan cu otravă.

Văzînd că intriga lui de a smulge puterea
de la Cel Binecuvîntat a eşuat şi nedîndu-şi
seama că Cel Binecuvîntat nu gîndea în ter-
meni de „putere" sau „slăbiciune", Devadatta
a purces la a complota împotriva vieţii lui.
Bande de asasini au fost trimise pentru a-l
ucide pe Stăpîn, dar aceştia au fost con-
vertiţi imediat ce l-au văzut şi l-au auzit
predicînd, cuceriţi fiind de comportarea lui
iubitoare şi demnă. Stînca răsturnată de pe
dealul Gridhrakuta pentru a-l lovi pe Maestru
s-a despicat în două şi, din fericire, ambele
bucăţi au trecut pe alături fără să îi provoace
mult rău. Unui elefant beat i s-a dat drumul
pe drumul regal, exact la momentul în care
Cel Binecuvîntat venea pe acea cale; mata-
hala sălbatică şi duşmănoasă l-a privit pe
Buddha şi şi-a venit imediat în fire, aple-
cîndu-se şi devenind docilă în prezenţa lui,
căci, asemenea Sfîntului Francisc din Assisi,
Cel Binecuvîntat avea o putere stranie asupra
animalelor. Cu mîna ca o floare de lotus,
Maestrul a mîngîiat animalul pe cap, aşa
cum luna luminează un nor trecător, şi a
spus:

— Micul elefant doboară pădurea ţepoasă
şi, preţuindu-l, noi ştim că el poate fi de folos

oamenilor; dar norul care înlătură durerea bătrîneții de elefant, asta nimeni nu poate îndura. Tu! Cel înghițit de mlaștina durerii! Dacă nu renunți acum la dorință, furie și amăgire, ele vor spori și mai mult și vor crește.

Elefantul pe nume Dhanapalaka, pe ale cărui tîmple curge
o sevă înțepătoare și care e atît de greu de stăpînit,
nu înghite o îmbucătură cînd e legat; elefantul tînjește
după crîngul elefanților. (*Dhammapada*)

Discipolilor lui, Buddha le-a spus:
— În tăcere îndur asuprirea, așa cum elefantul îndură în luptă săgeata trimisă din arc; căci lumea este arțăgoasă. Ei merg cu un elefant domesticit la luptă, regele se suie pe un elefant domesticit, cel domesticit este cel mai bun printre oameni, acela care îndură în tăcere asuprirea. Catîrii sînt buni dacă sînt domesticiți, la fel caii nobili Sindhu și elefanții cu fildeși mari; dar cel care se domesticește pe sine este încă și mai bun.

Astfel, Cel Binecuvîntat se adresa atît lui Devadatta, urzitorul, cît și lui Rahula, merituosul lui fiu. Devadatta era privit de membrii Ordinului drept un „nebun" tipic. Fiecare Bhikshu iluminat înțelegea și credea că Devadatta avea să revină iar ca Buddha, știind că toate lucrurile sînt la fel în Realitatea Supremă a Anuttara-Samyak-Sambodhi (Înțelepciunea Cea Mai Înaltă și Desăvîrșită).

Văzînd jalnicul eșec al zănaticului și ereticului său erou, tînărul rege Ajatasutru, care suferea foarte tare din cauza mustrărilor de conștiință, a căutat în nenorocirea lui pacea mergînd la Cel Binecuvîntat și aflînd calea salvării.

În inimile celorlalți lideri eretici a apărut invidia, din cauza popularității enorme a Maestrului și a darurilor pe care mirenii evlavioși le ofereau discipolilor lui Buddha. Acești lideri au încercat să păteze reputația Celui Binecuvîntat și să-l discrediteze în ochii oamenilor. O falsă călugăriță care aparținea unei secte eretice a fost convinsă să îl acuze pe Cel Binecuvîntat de adulter în fața întregii adunări. Cruda minciună a lui Chincha a fost demascată. Ereticii au mai făcut o încercare de a-l distruge pe Maestru prin calomnie. Au pus-o pe o femeie numită Sundari să răspîndească zvonul că își petrecuse noaptea în dormitorul Învățătorului. Și această defăimare a fost respinsă, dar între timp urzitorii au pus ca Sundari să fie ucisă de o bandă de bețivi mituiți în acest scop. Vicioșii nebuni au aruncat cadavrul în tufele de lîngă mănăstirea din crîngul lui Jeta. Ereticii voiau să facă să pară că asta e o încercare din partea adepților lui Buddha de a înăbuși scandalul și că aceștia și-ar fi pierdut capul procedînd astfel. În consecință, au apărut voci puternice care cereau ca împotriva Stăpînului Buddha să se ia măsuri juridice. Dar asasinii bețivi s-au certat și au început să se bată într-o crîșmă, acuzîndu-se unul pe altul, și astfel secretul a răsuflat.

Au fost arestați în acea noapte și aduși în fața tribunalului regelui. Interogați, ei și-au recunoscut vinovăția și au dezvăluit numele celor care îi angajaseră. Cu o altă ocazie, scrie Narasu: „Ereticii l-au instigat pe Srigupta să ia viața Maestrului otrăvindu-i mîncarea și făcîndu-l să cadă într-o groapă cu foc, dar prin milă și calmă iertare, Cel Binecuvîntat l-a salvat pe Srigupta de la dușmănie și crimă, arătînd cum compasiunea cucerește chiar și un dușman, și astfel a expus regula sublimei iertări, eliberîndu-și adepții de nenorocirea acestei lumi".

Exuberanți și încrezători, văzînd seninătatea, seriozitatea morală și blînda cumințienie a Maestrului, tot mai mulți discipoli s-au alăturat Frăției. Despre cei Doisprezece Mari Discipoli ai lui, cu 500 de ani înaintea lui Christos și a celor Doisprezece Apostoli ai lui, Cel Binecuvîntat a spus:

— În afara religiei mele, cei Doisprezece Mari Discipoli, care, fiind buni, înalță lumea și o salvează de indiferență, nu pot fi găsiți.

Într-o zi, în timp ce stătea în districtul sudic, Buddha a vizitat satul brahman Ekanala. Un brahman bogat, cu un baston în mînă, își supraveghea lucrătorii care transpirau pe cîmp împreună cu boii. Cu farfuria de cerșit în mînă, Buddha s-a apropiat calm de moșierul supărat și trufaș. Unii dintre lucrătorii umili au venit la Cel Binecuvîntat și și-au arătat supunerea împreunîndu-și palmele, dar milionarul s-a enervat și l-a ocărît pe Cel Sfînt cu aceste cuvinte:

— O, tu, Cel Tăcut, eu ar și semăn, iar după ce am arat și am semănat, mănînc; ar fi mai bine dacă și tu ai ara și ai semăna în același chip, și apoi ai avea și tu ce să mănînci.

— O, brahmane, a răspuns Cel Binecuvîntat, și eu ar și semăn, iar după ce am arat și am semănat, mănînc.

— Dar, a spus brahmanul, dacă ești țăran, unde se vede asta? Unde sînt boii tăi, semințele și plugul?

Atunci Învățătorul a răspuns:

— Credința este sămînța pe care o semăn; cucernicia este ploaia care o face să încolțească; smerenia este grindeiul plugului; mintea este legătura jugului; vigilența este brăzdarul și îndemnul meu. Adevărul este mijlocul de a lega; blîndețea, de a dezlega. Vigoarea: boii mei. Așa ar eu, deștelenind buruienile amăgirii. Recolta pe care o string este rodul de ambrozie al nirvanei, iar prin această trudă se pune capăt oricărei dureri.

La care acest brahman, ignorîndu-l pe slujitorul lui care stătea alături de el, a turnat el însuși orez cu lapte într-un vas aurit și i l-a întins Stăpînului Buddha, spunînd:

— Mănîncă, o, Gautama, orezul cu lapte. Cu adevărat ești un țăran; căci tu, Gautama, ai arat, așa că vei culege roadele nemuririi.

Clanului evlavios al prinților Likkhavi, Cel Binecuvîntat le-a spus:

— Pentru a ajunge la înțelepciune, mai întîi alungați orice temei al „sinelui"; acest gînd al „sinelui" umbrește orice țel înalt, așa cum cenușa ascunde focul, iar dacă pășești

pe ea, îți arzi piciorul. Semeția și nepăsarea
învăluie și ele această inimă, așa cum soarele
este învăluit de nori; gîndurile trufașe înlă-
tură orice smerenie a spiritului, iar durerea
vlăguiește și cea mai puternică voință. Așa
cum eu sînt un cuceritor printre cuceritori,
și acela care cucerește „sinele" este una cu
mine. Acela care e prea puțin interesat de
a cuceri „sinele" nu e decît un maestru
nesăbuit; frumusețea, dintre lucrurile pămîn-
tești, renumele familiei și alte asemenea
lucruri – toate sînt nestatornice, iar ceea ce
este schimbător nu poate oferi nici un răgaz.
Odată ce se ajunge la această înțelegere,
apare slobozirea de dorința lacomă provenită
din „sine", căci o socoteală greșită a excelen-
ței pricinuiește o dorință lacomă de a excela,
în timp ce o falsă viziune a lipsei de merit
stîrnește furie și părere de rău, dar, odată
ce gîndul de a excela și acela al inferiorită-
ții sînt șterse, dorința de a excela, ca și
furia sînt distruse. Furia! Cum schimbă ea
fața atrăgătoare, cum distruge ea frumusețea
farmecului!

Așa cum un șarpe supus de vrăji sclipește
cu pielea lui strălucitoare, la fel războinicii
Likkhavi au fost liniștiți de cuvintele Celui
Binecuvîntat și au prosperat în pace în încîn-
tătoarea lor vale. Și-au găsit bucuria în
liniște și izolare, meditînd doar la adevărul
religios.

— Care călugăr, o, călugărilor, poate spori
gloria Pădurii Gosingam? le-a vorbit Buddha
lui Sariputra, lui Maudgalyayana, lui Ananda,
lui Anuruddha, lui Revata și lui Kasyapa,

într-o noapte fără nori, cu adieri înmires-
mate din Pădurea cerească. Este acel călu-
găr, o, călugărilor, care, după ce s-a întors
de la cerșit și își potolește foamea, se așază
cu picioarele încrucișate sub el, cu trupul
drept și intră într-o stare de concentrare,
„Nu mă voi ridica de pe locul acesta", se
hotărăște el în sinea lui, „pînă cînd spiritul
meu, eliberat de legături, nu se va izbăvi de
orice năpastă". Acesta este Călugărul, o,
călugărilor, care sporește cu adevărat gloria
Pădurii Gosingam.

Adevărul este mai vechi decît lumea, mai
greu decît istoria, o pierdere mai mare decît
sîngele și un dar mai mare decît pîinea.

În al 80-lea an al său ca Buddha Nirma-
nakaya pășind pe fața pămîntului, însă
rămînînd, precum noi toți, o umbră spiritu-
ală din Tărîmul Divin, el a spus dintr-odată:

— Timpul eliberării mele totale este aproape,
dar să lăsăm să treacă trei luni, iar eu voi
ajunge în nirvana.

Așezat sub un copac, Tathagata s-a pier-
dut imediat în extaz, a refuzat de bunăvoie
anii ce i-au fost meniți și, prin puterea lui
spirituală, a rînduit restul vieții sale.

Buddha a ieșit din extaz și a anunțat
întregii lumi:

— Acum am renunțat la sorocul anilor
mei: de acum înainte trăiesc prin puterea
credinței; trupul meu stă ca un car stricat,
fără a mai fi pricina vreunei „veniri" sau
„plecări", pe deplin eliberat de pămînt, cer și
iad, sînt izbăvit, asemenea unui pui de găină
ieșit din ou. Ananda! Am rînduit trei luni
pînă la sfîrșitul vieții mele, la restul renunț

cu totul; acesta este motivul pentru care pămîntul se cutremură.

Ananda a strigat:

— Ai milă! Salvează-mă, maestre! Nu pieri atît de curînd!

Cel Binecuvîntat a răspuns:

— Dacă oamenii și-ar cunoaște măcar propria natură, ei nu ar stărui în durere. Tot ceea ce trăiește, orice ar fi, toate acestea ascultă de legea distrugerii; ți-am spus deja fățiș, legea lucrurilor „împreunate" este de a se „separa".

Iar în timp ce Ananda plîngea în pădurea întunecată, Cel Binecuvîntat i-a spus aceste cuvinte triste și adevărate:

— Dacă lucrurile din jurul nostru ar putea fi păstrate pentru totdeauna și nu ar fi supuse schimbării sau separării, atunci aceasta ar fi salvarea! Unde am putea căuta aceasta? Ceea ce puteți atinge cu toții v-am spus deja, și vă spun pînă la sfîrșit. În miezul tuturor lucrurilor există iubire și toate lucrurile sînt unul și același. *Svaha!* Sînt hotărît, îmi caut odihna. Singurul lucru care trebuia făcut a fost făcut demult. Adorație tuturor Tathagata, Sugata, Buddha, desăvîr-șiți în înțelepciune și milă, care au împlinit, împlinesc și vor împlini toate aceste vorbe ale misterului. Așa să fie! Ananda, pregătește în liniște un loc liniștit, nu te lăsa mișcat de felul cum gîndesc alții, nu face compromisuri pentru a fi de acord cu necunoașterea altora, mergi singur, fă din solitudine paradisul tău; Frăția Ochilor Blînzi, adoratorii cu suflet imaculat ai binelui, te va susține. Spiritul obișnuit cu legea producerii, statorniciei și distrugerii cunoaște cum, iar și iar, lucrurile se urmează sau se petrec fără să dăinuie. Înțeleptul vede că nu există nici o temelie pe care să clădească ideea „sinelui". Înțeleptul nu a avut nimic de-a face cu forma înainte de nașterea sa, nu are nimic de-a face cu forma acum, nu va avea nimic de-a face cu forma după ce va muri, eliberat de gînduri neliniștite despre relații. Și cum va muri el, știind că existența și inexistența formei lui sînt același lucru? Ananda, nu plînge. Scopul meu e să pun capăt repetării nașterii formei. Rătăcitoare, inutile, lipsite de semnele dăinuirii îndelungate, plutind, schimbîndu-se și chinuite mereu de constrîngere și neliniște, toate lucrurile sînt supuse suferinței din cauza formei. Nemîngîiate, toate lucrurile care au formă ajung la descompunerea supremă. Primește Legea așa cum se lămurește singură.

Războinicilor Likkhavi din Vaisali, care au venit la el cu chipurile întristate după ce au auzit de decizia lui de a muri, Cel Binecuvîntat le-a spus:

— În vremurile de demult, regii rishi, Vasishtra Rishi, Mandhatri, monarhii Kakravartin și alții, aceștia și toți ceilalți asemenea lor, foștii cuceritori, care trăiau cu o putere asemenea lui Isvara (Dumnezeu), aceștia au pierit cu toții demult, nici măcar unul nu a mai rămas; soarele și luna, Sakra însuși și marea mulțime a însoțitorilor lui vor pieri toți, fără deosebire; nu este nici măcar unul care să poată dăinui îndelung; toți Buddha

ai vremurilor trecute, mulți precum firele de
nisip de pe fundul Gangelui, iluminînd cu
înțelepciunea lor lumea, s-au stins cu toții
precum o lampă; toți Buddha ce urmează a
veni vor pieri și ei la fel; de ce, atunci, aș
fi eu altfel? Voi intra și eu în nirvana; dar,
așa cum alții au fost pregătiți pentru sal-
vare, la fel ar trebui să vă grăbiți și voi pe
această cale, Vaisali se poate bucura cu ade-
vărat, dacă voi veți găsi calea către odihnă!
Într-adevăr, lumea este lipsită de ajutor, cele
„trei lumi" nu sînt de ajuns pentru a ne
bucura – rămîneți atunci pe drumul întris-
tării, zămislind o inimă fără de dorință. Lepă-
dați-vă pentru totdeauna de calea lungă și
răzlețită a vieții, mergeți mai departe pe căra-
rea spre nord, înaintați pas cu pas pe drumul
care urcă, în timp ce soarele ocolește munții
de la apus.

În ultima lui peregrinare făcută pentru a
propovădui, Învățătorul a ajuns în orașul
Pava, iar acolo, în casa lui Chunda, fierarul,
a mîncat pentru ultima oară. Cel Binecuvîntat
a înțeles că mîncarea cu carne de porc oferită
de Chunda nu era bună; *Sukara-maddava,*
după cum s-a stabilit, un soi de trufă otră-
vitoare; el i-a sfătuit pe călugări să nu se
atingă de ea și, în conformitate cu regula
budistă de a accepta toate pomenile de la
credincioși, indiferent cît de sărace sau infe-
rioare erau, a mîncat-o el. După asta s-a
îmbolnăvit grav de dizenterie și s-a mutat
în Kusinagara, în partea estică a Teraiului
nepalez.

Lui Ananda i-a spus:

— Între acei copaci gemeni Bala, care se clatină și lăcrimează, curăță un loc și apoi aranjează-mi rogojina de stat. La venirea miezului nopții voi muri. Du-te! Spune-le oamenilor că vremea morții mele a venit: ei, oamenii Malla din acest district, dacă nu mă vor vedea, vor jeli pentru totdeauna și vor regreta profund.

Buddha și-a avertizat discipolii să nu-l acuze niciodată pe Chunda, fierarul, că ar fi responsabil de moartea lui, ci mai degrabă să-i aducă laudă pentru aducerea nirvanei aproape de Conducătorul oamenilor.

Oamenilor Malla care au venit înlăcrimați le-a spus:

— Nu jeliți! Este un moment de bucurie. Nu e nici un motiv de întristare sau durere aici; ceea ce am urmărit de mult acum sînt pe punctul de a obține; eliberat acum de legăturile strînse ale simțurilor, părăsesc aceste lucruri, pămînt, apă, foc și aer, pentru a mă odihni în siguranță acolo unde nu pot veni nici nașterea, nici moartea. Eliberat pentru eternitate de suferință, ah! Spuneți-mi! De ce aș fi întristat? Din vremuri de demult, de pe muntele Sirsha, am tînjit să scap de acest trup, dar pentru a-mi împlini destinul am rămas pînă acum împreună cu oamenii din lume: am păstrat acest trup bolnăvicios și fragil, ca atunci cînd locuiești cu un șarpe veninos; dar acum am ajuns la marele loc de odihnă, toate primăverile întristării au încetat acum pentru totdeauna. Nu voi mai primi nici un trup, toată suferința viitoare este distrusă acum pentru totdeauna; nu se

cuvine ca voi, în numele meu, să mai încu-
rajați de acum înainte vreo teamă neliniș-
tită. Un om bolnav depinde de puterea
vindecătoare a leacului, el se descotoro-
sește cu ușurință de toate bolile lui fără să
îl privească pe doctor. Cel care nu face ceea
ce poruncesc eu mă vede zadarnic, căci
asta nu e de nici un folos; în timp ce acela
care trăiește departe de unde sînt eu, dar
merge pe calea cea dreaptă este mereu aproape
de mine! Păstrează-ți inima cu grijă – nu
lăsa loc nepăsării! Practică cu seriozitate
fiecare lucrare bună. Omul născut în această
lume este presat de toate suferințele vieții
îndelungate, tulburat fără încetare – fără
o clipă de odihnă, ca oricare lampă stinsă
de vînt!

În ultimele sale clipe, Cel Binecuvîntat a
primit un călugăr Subhadra, un eretic, i-a
arătat că lumea este produsă de o cauză și
că prin distrugerea cauzei apare un sfîrșit,
o ieșire din scenă, i-a explicat Calea Nobilă
cu Opt Brațe și l-a convertit la credința ade-
vărată a Frăției Celor Blînzi, Iubitori și Triști,
anunțînd:

— Acest ultim discipol al meu a ajuns
acum în nirvana, prețuiți-l cum se cuvine.

Cel Binecuvîntat a dat ultimele instrucți-
uni sub copaci, ridicîndu-se pentru asta în
capul oaselor, în timp ce Ananda, înnebunit
de disperare, tînjea să ia capul fragil și trist
al Stăpînului său în poală, ca să-l susțină și
să-l protejeze de necuviința absurdă a dure-
rii în această oră a morții.

A spus Stăpînul Buddha:

— Păstrați cumpătarea trupului, mîncați la orele cuvenite; nu primiți nici o misiune de mijlocitor; nu preparați licori magice; detestați ipocrizia; urmați doctrina cea dreaptă și fiți buni cu tot ceea ce trăiește; primiți cu moderație ceea ce este oferit: primiți, dar nu strîngeți; acestea sînt, pe scurt, preceptele mele vorbite. Adorați bunăvoința voastră, căci cei care fac fapte bune și dătătoare de speranță mă cinstesc cel mai mult și îmi fac cea mai mare plăcere. Așa cum în ultima lună a ploilor de toamnă cînd cerul este limpede și norii au dispărut mărețul soare urcă pe bolta cerului, umplînd întreg spațiul cu strălucirea lui, la fel și bunăvoința luminează strălucitor deasupra tuturor celorlalte virtuți; da, ea este luceafărul dimineții. Cel trezit din vreme risipește vraja și alungă întunecata broască rîioasă care sălășluiește în inima lui. Nu dați curs furiei sau cuvintelor urîte față de cei aflați la putere. Furia și ura distrug Legea adevărată; și distrug demnitatea și frumusețea trupului. Așa cum mangusta este imună la veninul șarpelui, la fel și călugărul trăiește cu inima blîndă în mijlocul urii și furiei. Plecînd de la „a dori puțin" găsim calea adevăratei eliberări; dorind adevărata libertate, ar trebui să practicăm mulțumirea „de a ști suficient". Pentru bogați și săraci deopotrivă, a fi mulțumit înseamnă a te bucura de odihna perpetuă. Nu deveniți nesătioși în cerințele voastre și astfel să adunați tot mai multă suferință în lunga noapte a vieții. Multe lucruri de care depindem sînt ca tot atîtea legături care ne leagă; în lipsa acestei înțelepciuni, mintea este săracă și nesinceră. Iar și iar, aceste euri demne de milă și înspăimîntate s-au repezit spre moarte, schimbînd în mod miraculos vise, revenind în pielea nouă și ignorantă a unor nou-născuți; asemenea copacilor – brațe, apăsare, pace tulbure. Sărmanii nenorociți, săraci în înțelepciune și dreaptă purtare, căzuți în vîrtejul mundan, închiși în locuri mohorîte, scufundați în năpasta fără încetare reînnoită. Așa cum sînt, împiedicați de dorință precum iacul de coada lui, orbiți în mod continuu de plăcerea senzuală, ei nu îl caută pe Buddha, cel puternic; ei nu caută Legea care duce la sfîrșitul durerii. A auzi cuvintele mele și a nu le respecta cu grijă, asta nu este vina celui care vorbește.

Spre miezul nopții, în tăcerea suferinței lor frățești, Cel Binecuvîntat le-a spus discipolilor lui:

— Poate că din cauza reverenței față de Învățătorul vostru păstrați tăcerea: haideți mai bine să vorbim ca între prieteni.

Anuruddha a ieșit în față și a spus:

— O, Stăpîn Binecuvîntat, dincolo de marea nașterii și morții, lipsit de dorință, fără a avea nimic de căutat, noi nu știm altceva decît cît de mult iubim și, în suferință, întrebăm de ce moare Buddha atît de repede?

— O, inima mea este legată de el! a strigat și Pingiya.

Respectatul Frate Mai Mare al Umanității a spus:

— Ce credeți voi, Fraților? Ce este mai mare, oceanul de lacrimi pe care le-ați vărsat, plîngînd și jelind, pe acest lung drum, grăbindu-vă iar și iar spre noi nașteri și noi

morți, uniți cu ceea ce nu este dorit, despăr-
țiți de ceea ce este dorit, aceasta sau apele
celor Patru Mari Mări? Mult timp, Fraților,
ați suferit la moartea mamei, mult timp din
pricina morții tatălui, mult timp din pricina
morții unui fiu, mult timp din pricina morții
unei fiice, mult timp din pricina morții fra-
ților și surorilor, a pierderii unor bunuri, a
junghiurilor bolii. Sînt unii ai căror ochi sînt
doar puțin întunecați de praf, iar aceștia vor
pricepe adevărul. Așa cum o pasăre elibe-
rată de marinari pentru a căuta uscatul se
întoarce cînd nu reușește să-l găsească, și
voi, cînd nu ați reușit să găsiți adevărul, v-ați
întors la mine. Așa cum o mamă care, fără
să se gîndească deloc la ea, îl ocrotește și
iubește pe singurul ei copil, la fel lăsați-vă
și voi mila să străbată întreaga lume și să îi
acopere pe toți. Pînă și pe hoți îi vom pătrunde
cu un șir neabătut de gînduri pline de iubire;
iar pornind de la ei, vom pătrunde lumea
largă cu gînduri neschimbate de iubire și
bunătate, cuprinzătoare, cuceritoare, pline
de aprobare divină, fără dușmănie, fără teamă
neîncrezătoare. Da, în adevăr, astfel, ucenicii
mei, astfel trebuie să vă școliți singuri. După
ce ați ajuns pe malul cel îndepărtat și ați
intrat în nirvana, nu îi îndrumați și pe alții
spre siguranța acesteia?

Ananda s-a ridicat și și-a intonat cîntecul
de jale:

Timp de douăzeci și cinci de ani
l-am slujit pe Cel
Slăvit, oferindu-i
gînduri pline de iubire,

Și ca o umbră
l-am urmat.
    Atunci cînd în sus și-n jos
Buddha se preumbla,
    În spatele lui eu
i-am urmat întotdeauna pașii;
    Iar cînd Legea a fost
propovăduită,
    În mine au crescut cunoașterea
și înțelegerea.
    Dar, ah, acum el moare,
el moare!
    Iar eu încă am
multe de făcut,
    Un învățăcel crud încă
la minte,
    Floarea milei mele
încă nu s-a deschis
    Și acum Învățătorul
îmi sfîșie inima și moare,
    El, Cel Sfînt, Cel Trezit,
Desăvîrșit în Înțelepciunea și Mila Lui,
    El, Învățătorul fără de pereche
al oamenilor,
    El, Luceafărul-de-Dimineață,
Porumbelul Alb al Iubirii
și Mielul Neînțărcat,
    El, Laptele Ploii și
Mila Transcendentală,
    Carul de un Alb Neprihănit,
Copilul, Regele Lotus,
    Îngerul din Mintea Noastră,
El moare, ah, acum el moare,
Lăsîndu-mi înnegurarea supusă morții
        în strălucirea de neînchipuit
        a Golului!

    În jurul crîngului de sal erau călugări mai
tineri și mireni care înțeleseseră că ceea ce

predica acest om nu era doar un adevăr, ci însăși speranța salvării lor, deoarece pentru prima oară ei recunoscuseră în cuvintele lui, care exprimau încrederea radioasă a descoperirii lui, adevărul care transforma sclavii în oameni liberi, iar castele și clasele în frăție. Dar acum, din cauza morții iminente a formei temporare a trupului său, ei se temeau, asemenea unor miei înțelepți înfricoșați de încrederea în sine a leului ignorant numit Moarte.

Lor și lui Ananda, pentru a le alina și a le purifica spiritul, Buddha le-a spus:

— La început lucrurile au fost rînduite, la sfîrșit ele se separă iarăși; îmbinări osebite dau alte substanțe, căci nu există nici un principiu regulat și neschimbat în natură. Dar, atunci cînd tuturor țelurilor reciproce li se va fi răspuns, ce vor face haosul și creația! Zeii și oamenii deopotrivă care s-ar cuveni să fie salvați vor fi fost salvați cu toții! Și atunci! Ucenicii mei, care cunoașteți atît de bine legea cea desăvîrșită, nu uitați! Sfîrșitul trebuie să vină; nu vă lăsați din nou pradă întristării. Folosiți în mod sîrguincios mijloacele numite; năzuiți să ajungeți în casa în care separarea nu poate să intre; eu am aprins lampa înțelepciunii, numai lumina ei poate risipi întunericul care învăluie lumea. Lumea nu este hotărîtă de-a pururi! Ar trebui prin urmare să vă bucurați! Așa ca atunci cînd unui prieten aflat în mare suferință i se vindecă boala și scapă de durere. Căci eu am dat la o parte acest receptacul dureros, am oprit curgerea nesfîrșită a nașterii și morții, liber pururea de acum de durere! Pentru asta ar trebui să

vă bucuraţi! Acum păziţi-vă aşa cum trebuie,
nu îngăduiţi nici o delăsare! Orice există este
supus pieirii! Iar acum voi muri. Aici se opresc
vorbele mele, aceasta este ultima mea îndru-
mare.

Intrînd în extazul Samadhi al primei medi-
taţii Dhyana, el a trecut succesiv prin toate
cele nouă Dhyana în ordine; apoi a parcurs
drumul invers şi a intrat în prima şi din
prima s-a înălţat şi a intrat în Dhyana a
Patra, Dhyana Nici a Bucuriei, Nici a Sufe-
rinţei, absolut pură şi egală, esenţa desăvîr-
şită, originară şi eternă a Minţii. Ieşind din
starea de extaz Samadhi, cu sufletul fără un
loc de odihnă, el a ajuns imediat la parinir-
vana, dispariţia completă a formei după ce
a murit.

Luna a pălit, rîul a suspinat, o adiere
mentală a plecat copacii.

Asemenea măreţului elefant căruia i se
fură colţii sau asemenea taurului-rege căruia
i se taie coarnele; sau asemenea cerului fără
soare şi lună sau asemenea crinului bătut
de grindină, astfel a fost lumea văduvită cînd
a murit Buddha.

Doar în nirvana există bucurie, oferind
evadare de-a pururi, căci evadarea din închi-
soare e chiar motivul pentru care a fost
făcută închisoarea.

Buzduganul de diamant al nepermanenţei
poate răsturna muntele lunii, dar numai per-
deaua de diamant a lui Tathagata, perdeaua
de fier a minţii poate copleşi nepermanenţa!
Somnul cel lung, sfîrşitul a toate, calea liniş-
tită şi calmă este cea mai mare recompensă
a înţelepţilor, eroilor şi sfinţilor.

Suportînd în mod voluntar infinite încercări de-a lungul a nenumărate epoci și nașteri, pentru a putea elibera omenirea și tot ce este viu, renunțînd la dreptul de a intra în nirvana și aruncîndu-se iar și iar în torentul samsara al vieții și destinului cu singurul scop de a propovădui învățătura căii de eliberare de durere și suferință, acesta este Buddha, care este oricine și totul, Aremideia, Lumina Lumii, Tathagata, Maitreya, Eroul Ce Va Să Vină, Cel Care Umblă pe pămînt, Cel Care Stă sub Copaci, constant, energic, intens uman, Marea Ființă Înțeleaptă a Milei și Blîndeții.

Legea nobilă și fără pereche a lui Buddha ar trebui să primească adorația lumii.

– Sfîrșit –

Cella Serghi – *Pe firul de păianjen al memoriei*
Henri Bergson – *Teoria rîsului*
Cristian Tudor Popescu – *Copiii fiarei*
Stendhal – *Despre dragoste*
Vintilă Mihăilescu – *Scutecele națiunii și hainele împăratului. Note de antropologie publică*
Irfan Orga – *Portretul unei familii turcești. O poveste din Istanbulul de altădată*
Edmund de Waal – *Iepurele cu ochi de chihlimbar. O misterioasă moștenire de familie*
Robert Guillain – *Gheișele*
Emil Brumaru – *Cerșetorul de cafea*
Jack Kerouac – *Cartea trezirii. Viața lui Buddha*

în pregătire:

Alina Mungiu-Pippidi – *De ce nu iau românii premiul Nobel*